O Corpo Tem suas Razões

Thérèse Bertherat

O Corpo Tem suas Razões
Antiginástica e consciência de si

com a colaboração de Carol Bernstein

Tradução
Estela dos Santos Abreu

Título original: *LE CORPS A SES RAISONS – AUTO-GUÉRISON ET ANTI-GYMNASTIQUE.*
Copyright © by Éditions du Seuil, Paris, França, 1976.
Copyright © 1977, Livraria Martins Fontes Editora Ltda.,
São Paulo, para a presente edição.

1ª edição 1977
21ª edição 2010
3ª tiragem 2021

Tradução
ESTELA DOS SANTOS ABREU

Revisões
Helena Guimarães Bittencourt
Lilian Jenkino
Produção gráfica
Geraldo Alves
Paginação
Studio 3 Desenvolvimento Editorial
Capa
Marcos Lisboa

Dados Internacionais de Catalogação na Publicação (CIP)
(Câmara Brasileira do Livro, SP, Brasil)

Bertherat, Thérèse, 1931-2014.
  O corpo tem suas razões : antiginástica e consciência de si / Thérèse Bertherat, com a colaboração de Carol Bernstein ; tradução Estela dos Santos Abreu. – 21ª. ed. – São Paulo : Editora WMF Martins Fontes, 2010.

  Título original: Le corps a ses raisons: auto-guérison et
            anti-gymnastique
  Bibliografia
  ISBN 978-85-7827-289-0

  1. Aptidão física 2. Educação física e treinamento I. Bernstein, Carol. II. Título.

10-05212   CDD-613.7

Índices para catálogo sistemático:
1. Aptidão física : Higiene   613.7
2. Educação física : Higiene   613.7

Todos os direitos desta edição reservados à
Editora WMF Martins Fontes Ltda.
Rua Prof. Laerte Ramos de Carvalho, 133 01325-030 São Paulo SP Brasil
Tel. (11) 3293.8150 e-mail: info@wmfmartinsfontes.com.br
http://www.wmfmartinsfontes.com.br

Índice

INTRODUÇÃO – O seu corpo – essa casa onde você não mora 1

1. A casa no beco 7
2. O corpo-fortaleza 17
3. A sala de música 29
4. A casa mal-assombrada 39
5. Françoise Mézières: uma revolução 77
6. Alicerces milenários 105
7. Chaves, fechaduras, portas blindadas 119
8. A casa acolhedora 139

Post-scriptum 149
Preliminares 151
Bibliografia 167

Dedicatórias

À dra. A., célebre advogada, que teme perder sua autoridade se abandonar a nuca rígida e as feições agressivas, e que confunde a imagem de si mesma com a imagem "que vende".

Ao almirante B., que, sentindo-se desanimado no momento de passar para a reserva, aprendeu a respirar, a manter a cabeça (e não o maxilar) erguida... e cresceu três centímetros.

À sra. C., que mandou consertar nariz, pálpebras, seios, mas que chora lágrimas de verdade quando percebe que não pode mandar consertar a própria vida.

A D., que leva o corpo para ser tratado assim como leva o carro à oficina: "Faça tudo o que for preciso. Eu não quero nem saber". Mas tudo o que eu lhe poderia ensinar, no fundo dele mesmo, ele já sabe.

À srta. E., virgem e mártir, que há quarenta anos diz que quer livrar-se da barriga, que parece a de uma gestante no oitavo mês. Sempre sorridente e amável, recusa-se porém a fazer os movimentos que a libertariam.

À sra. F., que tem ódio do próprio corpo; que diz que adora as pessoas que não se parecem com ela, as quais, porém, vive tentando humilhar.

A G., que, quando adolescente, tanto fechava os olhos sobre si mesma que chegou, anos a fio, a dormir 16 horas por dia.

Ombros caídos, cabeça retesada para trás, passou pela vida como sonâmbula até o dia em que, no espelho, deu com a imagem de uma velha, cujos olhos se arregalaram de espanto.

Ao conde H., que considera sua saúde uma "questão de Estado" pois só admite que está doente se o tratamento for reembolsado pela Previdência Social.

Introdução

O seu corpo – essa casa onde você não mora

Neste instante, esteja você onde estiver, há uma casa com o seu nome. Você é o único proprietário, mas faz tempo que perdeu as chaves. Por isso, fica de fora, só vendo a fachada. Não chega a morar nela. Essa casa, teto que abriga suas mais recônditas e reprimidas lembranças, é o seu corpo.

"Se as paredes ouvissem..." Na casa que é o seu corpo, elas ouvem. As paredes que tudo ouviram e nada esqueceram são os músculos. Na rigidez, crispação, fraqueza e dores dos músculos das costas, pescoço, diafragma, coração e também do rosto e do sexo, está escrita toda a sua história, do nascimento até hoje.

Sem perceber, desde os primeiros meses de vida, você reagiu a pressões familiares, sociais, morais. "Ande assim. Não se mexa. Tire a mão daí. Fique quieto. Faça alguma coisa. Vá depressa. Aonde vai você com tanta pressa...?" Atrapalhado, você se dobrou como pôde. Para conformar-se, você se deformou. Seu corpo de verdade – harmonioso, dinâmico e feliz por natureza – foi sendo substituído por um corpo estranho que você aceita com dificuldade, que no fundo você rejeita.

É a vida, diz você; não há outra saída. Respondo-lhe que você pode fazer algo para mudar e que só você pode fazer isso. Não é tarde demais. Nunca é tarde demais para liberar-se da programação de seu passado, para assumir o próprio corpo, para descobrir possibilidades até então inéditas.

Ser é nascer continuamente. Mas quantos deixam-se morrer pouco a pouco, enquanto vão se integrando perfeitamente às estruturas da vida contemporânea, até perderem a vida pois que se perdem de vista?

Saúde, bem-estar, segurança, prazeres, deixamos tudo a cargo dos médicos, psiquiatras, arquitetos, políticos, patrões, maridos, mulheres, amantes, filhos. Confiamos a responsabilidade de nossa vida, de nosso corpo, aos outros, por vezes àqueles que não desejam essa responsabilidade e que se sentem esmagados por ela; quase sempre àqueles que pertencem a Instituições cuja primeira finalidade é a de nos tranqüilizar e, portanto, de nos reprimir. (E quantos há, independentemente de idade, cujo corpo ainda pertence aos pais? Crianças submissas, esperando em vão, durante toda a vida, licença para vivê-la. Menores de idade psicologicamente, não ousam nem olhar a vida dos outros, o que não os impede, porém, de se tornarem impiedosos censores.)

Quando renunciamos à autonomia, abdicamos de nossa soberania individual. Passamos a pertencer aos poderes, aos seres que nos recuperaram. Se reivindicamos tanto a liberdade é porque nos sentimos escravos; e os mais lúcidos reconhecem ser escravos-cúmplices. Mas, como poderia ser de outro jeito, se não chegamos a ser donos nem de nossa primeira casa, da casa que é o corpo?

Você pode, no entanto, reencontrar as chaves do seu corpo, tomar posse dele, habitá-lo enfim e nele encontrar a vitalidade, saúde e autonomia que lhe são próprias.

Como? Não, certamente, se você considerar o corpo como uma máquina fatalmente defeituosa e que o atravanca; como uma máquina composta de peças soltas (cabeça, costas, pés, nervos...) que devem ser confiadas cada uma a um especialista, cuja autoridade e veredito são aceitos de olhos fechados. Não, certamente, se você aceitar como definitivas as etiquetas de "nervoso", "insone", "com mau funcionamento do intestino", "fraco", etc. E não, certamente, se você procurar fortalecer-se pela ginástica que se contenta com o adestramento forçado do corpo-carne, do corpo considerado sem inteligência, como um animal a domar.

Nosso corpo somos nós. Somos o que parecemos ser. Nosso modo de parecer é nosso modo de ser. Mas não queremos admiti-lo. Não temos coragem de nos olhar. Aliás não sabemos como fazer. Confundimos o visível com o superficial. Só nos interessamos pelo que não podemos ver. Chegamos a desprezar o corpo e aqueles que se interessam por seus corpos. Sem nos determos sobre nossa forma – nosso corpo – apressamo-nos a interpretar nosso conteúdo, estruturas psicológicas, sociológicas, históricas. Passamos a vida fazendo malabarismos com palavras, para que elas nos revelem as razões de nosso comportamento. E que tal se, através de nossas sensações, procurássemos as razões do próprio corpo?

Nosso corpo somos nós. É nossa única realidade perceptível. Não se opõe à nossa inteligência, sentimentos, alma. Ele os inclui e dá-lhes abrigo. Por isso tomar consciência do próprio corpo é ter acesso ao ser inteiro... pois corpo e espírito, psíquico e físico, e até força e fraqueza, representam não a dualidade do ser, mas sua unidade.

Neste livro relatarei as questões e métodos naturais daqueles que consideram o corpo como unidade indissolúvel. Proporei também movimentos que não embrutecem mas que, pelo contrário, desenvolvem a inteligência muscular e exigem, *a priori*, a perspicácia de quem os pratica.

Esses movimentos nascem de dentro do corpo; não são impostos de fora. Não têm nada de místico ou misterioso. Têm por finalidade não que você escape a seu corpo mas sim que seu corpo não continue a escapar-lhe, junto com a vida.

Até agora esses movimentos eram definidos por aquilo que eles não são: exercícios, ginástica. Mas que palavra conseguirá fazer entender que o corpo de um ser e sua vida são uma mesma coisa e que ele só poderá viver plenamente a vida se, previamente, tiver conseguido despertar as zonas mortas de seu corpo?

Antes de escrever este livro, a busca de uma palavra não me preocupava. A prática dos movimentos e seus resultados bastavam-me como definição. No máximo, quando me perguntavam o que eu ensinava, respondia "antiginástica"... acrescentando sempre que isso só podia ser entendido pelo corpo, através da experiência vivida.

Mas um livro é feito de palavras. Tentei então inventar uma, que pudesse resumir o essencial desses movimentos conhecidos até agora apenas por aqueles que os praticavam. Uma porção de raízes gregas e latinas foram combinadas de todos os jeitos. Todos os resultados eram parcialmente apropriados; nenhum satisfazia de todo. E, um dia, uma palavra já existente e que na sua forma arcaica tinha servido de substantivo, uma palavra bem simples que eu usava sempre, pareceu soar exato. Preliminar. Preliminares. Passei, pois, a chamar os movimentos que preparam o corpo – todo o ser – a viver plenamente de Preliminares.

No decorrer deste livro e reunidos na conclusão, há a descrição de alguns Preliminares através dos quais você compreenderá que pode parar de desgastar-se inutilmente, de envelhecer precocemente, usando não dez ou cem vezes mais de energia – como você faz atualmente – mas apenas a energia apropriada a cada gesto.

Você poderá deixar cair máscaras, disfarces, poses, o "faz-de-conta" e passar a ser, a ter coragem de ser autêntico.

Você pode livrar-se de uma infinidade de males – insônia, prisão de ventre, distúrbios digestivos – fazendo com que trabalhem para você, e não contra você, músculos que até agora você nem sabe onde ficam.

Você pode despertar seus cinco sentidos, aguçar suas percepções, ter e saber projetar uma imagem de si mesmo que o satisfaça e que lhe mereça respeito.

Você pode afirmar sua individualidade, reencontrar sua capacidade de iniciativa, a confiança em si mesmo.

Você pode aumentar sua capacidade intelectual melhorando antes de tudo os impulsos nervosos entre cérebro e músculos.

Você pode desaprender os maus hábitos que o levam a favorecer e, por conseguinte, a hiperdesenvolver e deformar certos músculos; romper os automatismos do seu corpo e descobrir-lhe a eficácia e espontaneidade.

Você pode tornar-se um poliatleta que, a qualquer momento e em qualquer movimento que faça, conta com o equilíbrio, com a força, com a graça do próprio corpo.

Você pode libertar-se dos problemas de frigidez ou de impotência e, depois de liberto das proibições que emanavam de seu corpo, conhecer a rara satisfação que consiste em nele morar a dois.

Em qualquer idade, você pode livrar-se das pressões que cercaram sua vida interior e seu corportamento corporal, conseguindo perceber o ser belo, bem feito, autêntico, que você deve ser.

Se lhe falo com tanta convicção e entusiasmo, é porque vejo isso acontecer diariamente. Neste livro, só lhe contarei histórias vividas por mim mesma, por alunos e por outras pessoas que passaram a assumir a própria vida, a partir do momento em que começaram a morar no próprio corpo.

Agradeço à minha colaboradora que, sem formação nem deformação profissional, mas com muita intuição e espírito de síntese bem pessoal, ajudou-me a melhor compreender que as questões que este meu trabalho suscita são inseparáveis das que a vida mesma propõe.

T.B.

A casa no beco

Até então eu vivera como nômade. Nunca tinha havido a "minha" casa, nem um lugar fixo. Havia-me casado com outra alma errante, estudante de medicina. Juntos tínhamos percorrido o clássico roteiro dos quartos alugados, dos quartos para residentes nos diversos hospitais e agora tínhamos direito, num subúrbio, a um apartamento para funcionários onde era proibido pintar uma parede sem a devida licença da Administração. No começo do ano pretendíamos mudar, vir para Paris, onde, enfim, nos instalaríamos.

Morar numa casa que fosse minha... já passava de anseio: tornara-se uma necessidade urgente. E eu sabia que, para ficar satisfeita, era preciso que eu mesma a achasse.

Dirigi-me, pois, a Paris com uma lista de ruas, onde talvez ainda se achasse uma casa particular. Um amigo dera-me o nome de uma senhora – ele achava que ela dava aulas de ginástica ou algo parecido – que, há muito, morava num beco do 14º *arrondissement*, onde havia pequenas casas e ateliês de artistas.

O dia inteiro encontrei gente que apregoava ter achado a última casa disponível em Paris. Com os pés doloridos, a barriga das pernas, o pescoço e o maxilar contraídos, com o moral abalado, fiz o que costumava fazer, quando estava farta do mundo e de mim mesma. Comprei minha revista feminina preferida e, sentada num café confortável, pus-me a folhear as fotos das manequins despreocupadas.

Vi também várias páginas com exercícios destinados a oferecer-me, à vontade, seios maiores, seios menores, pernas como as da Marlene Dietrich, quadris como os da Brigitte Bardot. Folheei essas páginas bem depressa. A mera idéia de ginástica já me cansava e, automaticamente, eu me lembrava das salas barulhentas e malcheirosas da escola. O que mais me interessou foi a maquilagem sugerida para aquela semana.

Ao sair do café, comprei a pintura que eu acabava de ver recomendada. Passei logo no rosto uma camada assim como uma base, que me bronzeou na hora. Escondida atrás da minha nova feição, decidi ir procurar Suze L.

Havia uma tília e até um pessegueiro! No fundo do beco pontilhado de jardinzinhos, vi uma casa com as janelas fechadas. Estaria desocupada?

Suave, baixa, a voz parecia vir de longe. Ao virar-me, dei com uma mulher que há muito tempo era bela. No seu olhar, na expressão do rosto, em vez de vaidade havia generosidade.

"– Hoje está com ar meio triste, mas, quando ela está aberta, é bem bonita.
– Quem?
– A casa que você está olhando.
– Mora alguém aí?
– Mora."
Para disfarçar minha decepção, resolvi mudar de assunto.
"– Conhece Suze L.?"
A senhora deu um leve sorriso.
"– Conheço muito bem. Pelo menos, acho que conheço.
– Ela faz ginástica, não é?, disse eu, sem conseguir dominar uma espécie de careta.
– De fato, ela faz uma espécie de ginástica, mas sem careta." Barulho de passos na calçada: ela virou-se e acenou para duas moças que entravam numa das casas.

"– Vai começar uma aula daqui a dez minutos. Quer experimentar?"

Só consegui dizer: "– Mas eu não tenho roupa."

– Posso emprestar-lhe uma malha", respondeu e afastou-se imediatamente.

Fui atrás dela até uma casa de tijolos ou, para ser mais exata, feita de uma mistura de materiais, escondida por uma porção de árvores e arbustos.

Uma grande sala quadrada com as paredes cheias de livros, pinturas e fotos. No chão, alguns cestos de palha cheios de bolas de tênis e de bolas coloridas. Um tamborete alto de madeira clara. Vi as duas moças que haviam entrado no beco, um homem parecido com Bourvil e uma mulher gorducha e sorridente de mais ou menos sessenta e cinco anos. Todos de malha, descalços, sentados no chão, contentes da vida.

Eu, enfiada numa malha enorme, com uma dor de cabeça de arrebentar, os dedos dos pés crispados e doídos, perguntava-me o que estava fazendo ali. Queria descansar e não fazer ginástica. Ginástica. Uma palavra para os lábios, mas não para o corpo. Em todo o caso, não para o meu. Meu consolo era que essa Suze L. já não era assim tão moça e que pelo menos a metade dos alunos era ainda mais velha que ela. Talvez a gente não tivesse que fazer muitas contorções.

Ela entrou também de malha e com um largo avental bege.

"– Tudo bem?"

Os outros anuíram com a cabeça.

Ela pegou uma das cestas e distribuiu as bolas. Deu-me uma verde. "– Já que você gosta de árvores...", disse sorrindo. E sentou-se no tamborete.

"– Fiquem de pé, com os pés paralelos um ao outro. Coloquem a bola no chão. Agora rolem a bola sob o pé direito. Imaginem que há tinta na bola e que vocês querem pintar todo o pé, embaixo dos dedos, à planta do pé, os lados... Passem bem a tinta em todos os pontos da planta do pé. Sem pressa."

Ela fala devagar e baixo. Sua voz penetra no silêncio da sala sem perturbá-lo.

"– Pronto. Agora deixem a bola e sacudam o pé no qual estavam apoiados. Isso. Coloquem um pé ao lado do outro. Muito bem. Digam-me o que estão sentindo."

"– Tenho a impressão de que meu pé direito afunda um pouco no chão, como se eu andasse na areia", diz a senhora idosa.

"– Parece que os dedos do meu pé direito ficaram mais largos."

"– Tenho a impressão de que o meu pé direito é o meu pé de verdade e que o esquerdo é de pau."

Eu não digo nada. Olho para meus pés como se os visse pela primeira vez. Acho o pé direito mais bonito que o esquerdo, cujos infelizes dedos estão encarquilhados.

"– Agora debrucem-se para a frente, sem dobrar as pernas e deixem os braços soltos."

Olho meus braços. A mão esquerda fica a 10 centímetros do chão. A mão direita encosta no chão!

"– Podem erguer-se agora."

Todo mundo se levanta.

"– Sabem por que o braço direito chega mais perto do chão que o braço esquerdo?"

– Por causa da bola, diz uma das moças.

– Isso mesmo. A bola ajudou a descontrair os músculos do pé. E como o corpo é um todo, todos os músculos ao longo da perna e das costas também se distenderam. Não estão mais entravando vocês."

Em seguida, ela pede que rolemos a bola sob o pé esquerdo. Quando me debruço de novo, as duas mãos encostam no chão.

"– Agora vocês vão deitar-se de costas com os braços estendidos junto ao corpo. Estão bem? Então procurem perceber como o chão carrega seu corpo. Quais são os pontos do corpo que se apóiam no chão?"

Eu estava equilibrada na parte posterior do crânio, na ponta das omoplatas e nas nádegas.

"– Quantas vértebras encostam no chão?"

Nenhuma das minhas vértebras encostava no chão. Aliás, isso me parecia impossível.

"– Flexionem os joelhos. Vocês vão ficar mais à vontade."

Mas que espécie de ginástica é essa que se preocupa com o meu conforto? Sempre achei que, quanto mais fizermos o corpo sofrer, melhor será para ele.

"– Estão melhor agora? A cintura descansa no chão?"

Por trás da minha cintura poderiam passar os carrinhos em miniatura com que meu filho brinca.

"– Então, apóie bem no chão a planta e todos os dedos do pé, erguendo um pouco as nádegas. Não demais, apenas o necessário para poder passar o punho. Abaixe. Levante e abaixe várias vezes. Com calma. Veja que ritmo lhe convém. E não se esqueça de respirar."

Concentrada nos movimentos da bacia, eu tinha, de fato, esquecido.

"– Bem. Encoste no chão a parte inferior das costas, tentando dirigir o cóccix para o alto. A cintura agora encosta no chão?"

Não, o meu túnel continua. Suze L. manda-me uma bola de borracha mole, do tamanho de um *grapefruit*.

"– Coloque a bola no fim da coluna."

Com um gesto furtivo, ponho a bola sob as nádegas.

"– É só. Fique assim e respire. Coloque as mãos sobre as costelas, para sentir como elas mexem quando você respira. Por outro lado, não há ligação nenhuma entre a cintura e o maxilar. Não adianta cerrar os dentes. Assim está melhor. Agora imagine que você enfia devagar o dedo no umbigo. Ele abaixa até o chão, junto com a barriga."

Sua voz parece vir de longe, cochichada. Sinto-me a sós com meu umbigo.

"– Retire a bola. Encoste as costas. Coloque as costas inteiramente no chão."

Obedeço. Sinto-me calma, repousada; um agradável calor invade-me todo o corpo.

"– E a cintura?"

Devagar vou pondo a mão. A ponta de meus dedos custam a entrar no espaço que sobra.

"– Quase, diz Suze L., tão satisfeita como eu. Agora vocês vão fazer uma coisa que há muito tempo não fazem. Fiquem deitados de costas. Dobrem as pernas. Estiquem os braços para a frente e segurem os dedos dos pés."

Quando minha filha de um ano e meio faz isso, acho uma graça. Mas eu, sinto-me ridícula.

"– É gozado", diz a senhora idosa.

"– Estão segurando bem os dedos? Então tentem desdobrar as pernas. Mas sem forçar."

Minhas pernas se desdobram muito pouco. Rolo de um lado para outro. Sinto-me boba e vulnerável.

"– Não consigo, diz o sósia de Bourvil.

– Vamos ver, diz Suze L. Sentem-se. Apalpem a parte posterior do joelho direito. Que é que há aí?

– Um osso de cada lado, diz uma das moças.

– Não são ossos. São os tendões dos músculos e eles podem tornar-se mais macios. Vocês mesmos podem conseguir. Peguem os dois tendões e toquem, como se vocês fossem músicos de jazz e eles as cordas do contrabaixo. Não há pressa."

Eu toco *Blue Moon* em ritmo lento, sem levar a sério.

"– Tudo bem? Agora deitem-se de novo de costas. Segurem os dedos do pé direito. Tentem esticar um pouco a perna e depois encolhê-la de novo. Outra vez. Façam isso várias vezes, mas sem forçar. Esperem que o corpo lhes permita ir mais além."

Minha perna vai esticando aos poucos. Mas continuo instável. Rolo de um lado para outro. Não consigo ficar parada.

"– Você rola assim porque não está respirando."
Solto uma lufada de ar que parece uma ventania.
"– Mas não pela boca! A boca serve para muitas coisas agradáveis; inspirar e expirar, porém, não são de sua competência. Deve-se sempre respirar pelo nariz."
Mais uma teoria sobre a respiração... penso eu. Assim mesmo, ponho-me a respirar pelo nariz. E consigo ficar parada!
"– Muito bem. Estiquem e encolham a perna devagar. Está melhorando?
"– Consegui!, diz a moça. Está segurando os dedos do pé e a perna está toda esticada.
– Muito bem. E os outros?"
Estico. Encolho. Respiro pelo nariz. Começo a me sentir bem, sem saber por quê. E pronto. Minha perna fica quase toda esticada.
"– Muito bem, diz Suze L. Compreenderam o que aconteceu? Amaciando os tendões, relaxando a parte posterior da perna, suas costas também se distenderam, esticaram-se. O corpo é um todo; não se consegue atingi-lo, trecho após trecho, mesmo se são selecionados. Vamos agora trabalhar o lado esquerdo."
Repetimos a mesma coisa, obtendo resultados idênticos, e depois ficamos de pé. Mas de um jeito como nunca me sentira antes: os calcanhares afundando no chão, o pé inteiro, planta e dedos, encostando no chão. Sinto-me estável, com coragem.
Mais tarde Suze L. nos fez fazer vários outros movimentos, sem bolas ou acessórios. Meu corpo tinha confiança, seguia a voz que o guiava. Eu sabia que era a voz de Suze L., mas parecia que ela vinha de dentro de mim, que exprimia as necessidades de meu corpo e me ajudava a satisfazê-las.
Depois de algum tempo, Suze L. distribuiu outras bolas, do tamanho de uma maçã. Eram bem pesadas, com meio quilo mais ou menos.

"– Coloquem a bola à direita. Deitem-se de costas outra vez, braços ao longo do corpo, dedos também estendidos. Toquem na bola com a ponta dos dedos. Empurrem-na na direção dos pés, depois tragam-na de volta para a palma da mão. Façam pequenos gestos lentos. Empurrem. Tragam de volta. Como se o braço fosse elástico."

A voz dela flutua acima de nossas cabeças como uma nuvem.

"– Agora peguem a bola na palma da mão. Apóiem o cotovelo e levantem a bola. Assim. Deixem a bola rolar devagar na palma e procurem o ponto de equilíbrio em que ela pára sozinha, sem endurecer o braço ou a mão. Façam da palma uma cama onde a bola descanse. Os dedos não encostam mais na bola? Ótimo. Agora segurem a bola e coloquem-na ao lado do corpo; coloquem o braço também. Isso."

Ela não diz mais nada. Ninguém diz nada. Nesse silêncio, uma sensação de bem-estar como eu nunca mais sentira desde o último verão, quando, sozinha no mar, eu boiava numa água límpida e mansa... ou então, em certos momentos, depois de ter feito amor.

"– Que tal?

– Otimamente, diz o homem. Sinto-me descontraído. Ombro, braço e mão têm um peso agradável. Sinto-lhes o volume. Sinto que existo no espaço, que tenho três dimensões. Enfim, está entendendo o que quero dizer?

– Entendo, sim. E você?"

Suze L. está de pé, perto de mim. Digo-lhe:

"– Tenho a impressão de que meu olho direito é maior que meu olho esquerdo e o canto direito da boca está solto, enquanto o esquerdo dá a impressão de que está fazendo careta.

– Não é impressão, não. Seu olho direito está mesmo maior e a boca está do jeito que você disse. Marianne, vire para cá, por favor, e olhe para sua colega.

– É incrível, diz Marianne. O olho direito dela está bem aberto. O esquerdo está miudinho e sem brilho.

– Não vamos deixar o coitado do lado esquerdo assim, diz Suze L. E ela nos faz repetir, no lado esquerdo, os mesmos movimentos.
– Fiquem agora de pé e espreguicem-se."
Minhas costas se esticam de todo, ao comprido. As costas não acabam mais. Braço e perna também. Estava me sentindo exausta quando cheguei; e agora sentia a energia circular por todo o corpo. Percebo que estou sorrindo. Olho para o tamborete, pois o sorriso é também para Suze L. Mas ela já não está lá. O pessoal começa a vestir-se. A aula acabou.

Acabo de vestir-me. Procuro Suze L., mas não a encontro. Saio para o beco. Meus pés não se torcem mais no calçamento. Apóio-me nos dedos; o andar é flexível. Ombros soltos. A nuca parece-me longa e leve. Os braços balançam. Andar, o simples andar, é um prazer.

Será imaginação ou o colorido das árvores ficou mais forte, o contorno das folhas mais nítido? E esse cheiro de terra, esse ventinho bom? Será que a primavera chegou enquanto eu estava na casa de Suze L.?

E a minha casa, aquela que eu tinha vindo procurar em Paris e que pensava não ter achado? Será que eu acabava de tê-la encontrado? A primeira casa da minha vida não seria, por acaso, meu próprio corpo?

· 2 ·

O corpo-fortaleza

Meu corpo, assim como quando queria fazer amor, comer, beber, exigia também que eu lhe fizesse encontrar o bem-estar. Por isso, eu pegava a estrada, todas as semanas, para vir a este beco que se tornara, para mim, uma abertura em relação a mim mesma.
Além dos alunos da primeira aula, havia um homem de negócios que parecia engravatado mesmo quando usava camiseta; uma mulher de quarenta anos, encantada com sua primeira gravidez; e uma adolescente séria, calada, que havia pronunciado sua última palavra – "não" – quando tinha cinco anos.
Em geral agitados e tensos ao chegar, todos se acalmavam, inclusive eu, durante a hora passada com Suze L. A tranqüilidade dela acabava provocando a nossa. Na sala sem espelhos, era ela quem nos mostrava a imagem do que poderíamos ser, imagem que nos atraía de forma irresistível.
No fim da última aula do trimestre, esperei que todos fossem embora. Claro que eu ficara para dizer-lhe alguma coisa. Algo que me parecia importante. E que, no momento exato, escapava-me de todo.
"– Queria dizer-lhe obrigada. Só isso."
Ela me sorriu. Apertamo-nos as mãos. Fui embora.
Só no carro lembrei-me do que queria dizer-lhe. Eu queria trabalhar. Tentar fazer um trabalho parecido com o dela. Meu

marido, interessado pelas aulas que eu lhe descrevera, estava de acordo e me havia dito que lhe pedisse a formação necessária. Achava até que na seção dele, no hospital psiquiátrico, eu poderia trabalhar com os doentes. Considerava-os não como "casos", como loucos de quem as pessoas razoáveis precisam proteger-se, mas sim como seres humanos, cuja verdade profunda, seja quanto à expressão verbal ou corporal, deve ser respeitada.

Como é que eu tinha podido "esquecer" tudo isso, momentos antes?

Férias de verão. Feliz da vida, sentindo-me de bem com meu corpo, eu ficava olhando meus filhos brincarem com meu marido no pinheiral perto de Nice. E pensava: somos os privilegiados da terra, invulneráveis.

15 de outubro. Seis horas da manhã. Domingo. Ao telefone, uma voz desconhecida dizendo cerimoniosamente: "– A senhora sabe... seu marido... foi atingido por uma bala".

Estou sentada na beira da cama que ainda conserva um pouco do calor do seu corpo. Pelas venezianas, o dia começa a entrar no quarto. Era ainda noite quando, há quinze minutos, ele fora chamado com urgência: no serviço dele, um doente ameaçava os enfermeiros com um revólver. Há quinze minutos, era ainda ontem. Ontem, com as crianças, estávamos combinando como seria minha festa de aniversário.

Entro correndo no corredor de um hospital dos arredores de Paris. Passo pela sala de espera, escritório, despensa. Só escuto meus passos. Só vejo minha sombra. Não há ninguém.

Onde estão? Onde está ele? Por que o trouxeram para cá? Para o nada. Com tantos hospitais bem equipados em Paris, tão perto, sem trânsito nenhum a esta hora da madrugada...

No fundo do corredor, abre-se uma porta. A mulher de branco aproxima-se calmamente.

"– Sou a sra. Bertherat. Onde está meu marido?
– Na sala de operações."
Acompanho seu olhar em direção à escada: uma flecha com o cartaz "sala de operações".
"– A sala de espera fica em frente.
– Onde é o ferimento?
– Perto do coração."
Sento-me. Na ponta do primeiro degrau, perto da parede. Aqui ainda é noite. Ainda é ontem. Ninguém fala comigo. Ninguém falou ainda.

O corredor está de novo deserto. Depois, através de uma janelinha assim mesmo trancada com grades, o sol entra, como por engano. Mas o mal está feito. Não se pode voltar atrás. Ele continua a avançar, porém rente à parede.

Atrás de mim, uma enfermeira vem descendo a escada. Encosto-me à parede. O relógio dela passa diante dos meus olhos. Oito horas. Eram seis e agora são oito. "Sou a sra. Bertherat." Ela passa sem parar. Ainda ontem no hospital onde meu marido trabalhava, essas palavras bastavam. Sorriam-me. Traziam-me uma cadeira. Punham-se à minha disposição. Hoje estou mendigando. Estendo a mão para o avental branco que se vira bruscamente: "Todo o mundo está em volta dele".

Do fundo do corredor surge um homem de terno que me empurra ao subir as escadas correndo.

"– O cirurgião", cochicha a enfermeira.

O pânico, como uma queimadura, entra-me pela nuca e se aloja na garganta. Seis e agora oito horas. Duas horas com uma bala perto do coração.

"– Então não havia cirurgião?
– Hoje é domingo.
– Mas ele ainda não foi operado?
– Claro que foi." Ela já perdeu tempo demais comigo. Apenas por gentileza, uma última informação: "Pelo interno de plantão".

A parede está fria, úmida; poreja água.
"Não fique aí."
Vou ficar aqui. Embaixo da flecha. Embaixo das palavras. Faço parte da parede agora. Do outro lado, o sol continua a avançar, meio esverdeado. Uma xícara quente na minha mão. Cheiro de café. No corredor passos e vozes.
"– E o grupo sangüíneo?
– O laboratório ainda não telefonou."
Agarro um avental azul.
"– Que grupo sangüíneo?"
O outro puxa o avental. Não há nada a fazer. Minha mão acaba compreendendo que só pode obter palavras do silêncio, do acaso.
"Do seu marido. Levaram uma amostra à cidade." À cidade! "Hoje é domingo." É domingo. Num hospital. Eu pensava. Sempre tinha pensado.
Não passa mais ninguém. Só o tempo. O dia invade a parede do corredor. Alguém vem correndo. Sapatos brancos que encostam em mim ao subir a escada. Pergunto o que é. A voz espontânea, ofegante.
"– O sangue. Enfim.
– Estava faltando?
– Acabou. Tivemos que mandar buscar em Paris."
Abafada, minha voz repercute na parede: "É porque hoje é domingo".
Abrem uma porta. Fecham.
O sol instala-se. O tempo pára. Meio-dia. Seis horas, oito horas, a hora do sangue e, agora, meio-dia. Atrás da parede, um elevador estaca. Abre-se a porta. Um carrinho. Um lençol. Cobrindo um corpo deitado. É ele. Mas não parece ele. Um rosto que eu nunca tinha visto. Dois fios de sangue escorrem das narinas, coagulando-se no rosto. Um braço estende-se na minha frente, barrando-me a passagem. Mas eu nem sequer havia me aproximado.

"– Espere. Vamos limpá-lo um pouco."

Uma enfermeira com cara inexpressiva, jovial, corada. Vira-me as costas e vai dizendo: "– A operação foi muito bem sucedida".

Fico ali de pé, parada, cercada por essas palavras que justificam tudo. "A operação foi muito bem sucedida." Se nenhum médico, nenhum interno, nenhum enfermeiro, nenhuma atendente veio falar comigo, é porque estão todos cansados depois de uma operação tão longa e que se passou tão bem. Se o interno de plantão operou, é porque ele é mesmo capaz. O cirurgião em trajes domingueiros só teve que dar uma olhadela, verificar que tudo ia bem. Desde então estão conversando; congratulam-se.

A enfermeira sai de um quartinho no fundo do corredor. Fecha-se na despensa, em frente.

Agora ele está numa cama. Seus pés saem para fora do lençol. Cubro-os. Sei que ele não gostaria de mostrar seus pés aqui. Há uma cadeira. Sento-me. Não consigo fazer com que meu olhar suba até seu rosto. Paro na garganta. Onde está enfiado um tubinho. Quer dizer que fizeram uma traqueotomia! "A operação foi muito bem sucedida." Para mim, o som dessas palavras é mais forte que a respiração resfolegante dele.

Neste quarto com vidraças opacas, não se vê o sol. Mas a luz mudou. Deve ser de tarde. Os dias são curtos em outubro. Hoje deve haver quatro minutos a menos que ontem. Perder quatro minutos. Só perder quatro minutos. Ele abre os olhos. Olha para mim. Dou um sorriso. Ele quer falar. Os lábios, a língua não obedecem. "A operação foi muito bem sucedida." Basta ternura e amor para restabelecer a circulação da vida no corpo dele.

É melhor que nenhum de seus colegas do hospital tenha vindo. Estamos bem, juntos e sozinhos. Eles devem estar ocupados com a polícia, ou em casa, simplesmente, com a família.

Hoje é domingo. Não preciso de ninguém já que "a operação foi muito bem sucedida".

Um barulho metálico. Forte. Ensurdecedor. Como o de uma máquina que se quebra. "A operação foi muito bem sucedida." Respirar! Ainda que isso lhe arrebente o peito, arrebente as ataduras, ponha à mostra o coração ferido! Respirar!

As mãos agitadas arranham as ataduras, parecem querer puxá-las para ele, para a boca. *"Todos os agonizantes fazem isso."*

Foi ele mesmo que me havia explicado. "Dizem que eles 're-colhem'. Suponho que o calor, o que lhes resta de vida."

"A operação foi muito bem... a operação..."

"– Eu era seu amigo." Era! "Sou B."

Perto da porta, parado, um fulano gordo, hirsuto e desarrumado.

"– Chame um médico! Um cirurgião! Chame um outro cirurgião!"

A voz dele é baixa, firme: "Isso não se faz".

Berrar também não se faz. Dar murros também não se faz. Dar com a cabeça na parede também não se faz. Sentar-se, isso se faz. Esperar também se faz. Então sento-me e ninguém vem me perturbar, enquanto espero que ele morra.

Quando meu coração não bate mais contra as costelas, não está mais grudado à garganta, não pula mais na boca, não se enterra mais nas tripas, sei que não há mais nada a esperar.

E sei que houve um assassinato do qual não fui testemunha e outro do qual fui testemunha e cúmplice. E que cúmplice não vou ser nunca mais. E que crédula e confiante não vou ser nunca mais.

O fulano gordo afasta-se e me deixa sair. O corredor agora está cheio. Uma porção de gente. Jornalistas. Quem teve tempo para chamá-los? Quem, sem ter tido a coragem de vir ver um homem, já o transformara em notícia? Às perguntas dos jornalistas, respondo:

"– A operação foi muito bem sucedida", e vou embora.

"– Em nome da administração..."

Diante do caixão na igreja Saint-Séverin, aperto as mãos das crianças, enquanto as palavras do prefeito passam, em ritmo solene, por cima de nossas cabeças.

"– Hoje estamos chorando..."

O prefeito não está chorando. Nós também não, nem meus filhos, nem eu. Não aqui.

"– Prejudicando até o dever familiar..."

Mas o que é que ele entende disso? O único "prejuízo" foi o de eu também tê-lo abandonado naquele hospital. Foi o de não ter tido a coragem de fazer o que não se faz. Foi o de não tê-lo levado eu mesma a Paris, onde havia aparelhagem e equipes competentes. Foi o de ter deixado passar as horas que seriam as últimas de sua vida.

"– Cabe-lhe, minha senhora, repetir a seus filhos que tiveram um pai que encarnava um grande..."

Mas o senhor não sabe nada disso, seu prefeito. O que o senhor está dizendo não serve para nada. Só eu sei o que me cabe fazer. Só eu, com meu corpo, soube como fazer. Quando cheguei à casa, as crianças correram para mim, espantadas com essa ausência tão longa, num dia que era para ser de festa. E papai? A resposta que lhes dei foi com meu corpo. Apertei-os contra a minha barriga, coxas, peito, para que toda a ternura, a segurança e as palavras que silenciosamente emanavam do meu corpo pudessem passar para o deles. "Sopra", diziam eles, quando faziam um "galo". Soprar por todos os poros: era isso, seu prefeito, o que me cabia fazer.

Mas o prefeito estava falando de indicação à Ordem do Mérito. Enfim um assunto do qual ele entendia.

"Vamos buscar as crianças, disseram-me ao telefone hoje de manhã. Você precisa ir descansar."

Quem me telefonou, um psiquiatra, colega de meu marido, também deveria entender do assunto. Mas como, com todo o seu saber, pôde ele pensar em "buscar" meus filhos e fazê-los perder, no mesmo dia, pai e mãe? Será possível que esse especialista do espírito, cheio de boa intenção, não tinha percebido que meus filhos precisavam mais do que nunca de minha presença física, do meu corpo. E eu, do deles. "Buscar as crianças", desobrigar-me de minhas responsabilidades para com elas, não seria querer encarregar-se de nós três, reduzir-nos à imagem típica da viúva e órfãos gratos diante da autoridade que os recuperou?

Tempos depois, soube que os parentes dos doentes tratados por meu marido conseguiram que uma ruazinha dos arrabaldes se chamasse "impasse do dr. Bertherat". Enfim um gesto que me pareceu justo, humano. Já que não podiam recorrer a ninguém, diante da máscara sem corpo da Autoridade, exprimiam assim sua desorientação, pois com certeza sentiam-se, eles também, num impasse.

Só recorri a uma pessoa. Suze L. recebeu-me no seu escritório, salinha silenciosa que dá para um jardim nos fundos da casa. Sentada a meu lado, sem tocar em mim. Esperava que eu conseguisse falar. Através de um nevoeiro de imagens, de lembranças, eu procurava a clareza das palavras habituais. Só encontrei: "– Preciso trabalhar. Não tenho recursos."

– Lógico que tem.

– Se eu pudesse fazer um trabalho como o seu. Antes de despedir-me...

– Era isso que você queria me dizer?

– Tinha percebido?

Ela não respondeu.

"– Acha que eu conseguiria?

– Vou ajudá-la. É preciso tirar um diploma. Há muita coisa a aprender.

– Mas, e o que não se aprende? A serenidade. A paciência.

– Não se iluda. A serenidade de que você está falando, eu a adquiri e com bastante dificuldade.

– Não consigo imaginá-la de outro jeito.

– Eu era brava, chegava a ser violenta. Antes.

– Antes de trabalhar?

– Antes de ser operada."

Ela mantém meu olhar preso no dela.

"– Fui operada duas vezes. Um câncer no seio."

Num corpo assim tão forte e caloroso! Não é possível que a morte tenha conseguido entrar também nesse corpo. Lágrimas me escorrem pelo rosto.

"– Foi há dez anos. Eu era ainda moça. Não me conformava. Sentia-me arrebentada, até moralmente. Só pensava em voltar a ser como antes. Não me ocorria que podia tornar-me bem melhor."

Disse-lhe que eu não estava entendendo.

Contou-me, então, como, a partir do corpo avariado, construíra um corpo-fortaleza.

Depois da operação, ela não podia tossir, nem falar; mal podia respirar sem sentir dores. Tinha dores fortes e constantes no ombro, braço, em todo o lado esquerdo. Impossível levar o braço para trás. "Para que você precisa mexer o braço para trás? Não lhe basta estar viva?", respondeu-lhe o médico.

Mas, oprimida pelo corpo, praticamente não participava mais da vida. Sentia-se um ser à parte, humilhada, castigada, sozinha com a dor. Como um animal preso numa armadilha, o único jeito que ela via para fugir à dor era amputar a parte que doía, abandoná-la.

E, um dia, leu um artigo de L. Ehrenfried. Nele, o corpo era considerado não como uma máquina maléfica que nos conserva à sua mercê; mas como matéria flexível, maleável, perfectível.

Lembrou-se de que, anos antes, havia procurado a sra. Ehrenfried, especialista no tratamento dos canhotos, porque não sabia como agir com a filha, que não se decidia a ser "de fato canhota".

A sra. Ehrenfried a havia tranqüilizado quanto à menina. Depois sugeriu que Suze L. trabalhasse com ela. Pensando que a sra. Ehrenfried queria que ela a ajudasse nas conferências destinadas aos pais das crianças que ela tratava, Suze L. não aceitou e nunca mais tornou a encontrar a sra. Ehrenfried.

Mas agora resolvera procurar essa mulher extraordinária que, em 1933, fugindo do nazismo, encontrara-se em Paris, munida de um diploma de médica, que não era reconhecido na França. Sozinha, compreendeu que seu refúgio primordial era o próprio corpo. Pouco a pouco, foi construindo um método de algo que, na falta de melhor palavra, chamava de "ginástica". Sua fama como eminente conhecedora da teoria correra de boca em boca e, agora, tinha centenas de alunos entusiastas.

A sra. Ehrenfried sempre trabalhava um lado do corpo de cada vez, pois havia percebido que, quando um lado está vivendo plenamente, o outro não agüenta mais ficar em inferioridade. Torna-se disponível ao ensino que lhe vem da "metade mais perfeita".

Assim, através do método da sra. Ehrenfried, Suze L. parou de pensar no lado mutilado e concentrou-se, principalmente, no lado normal.

Ao contrário da ginástica clássica, que busca desenvolver os músculos já superdesenvolvidos, ela aprendeu movimentos suaves e precisos que a ajudavam a soltar os músculos, a liberar uma energia até então desconhecida. Percebeu que tinha um ombro, um braço, um lado sadio e forte, cheio de possibilidades com que nem sonhava. Passou a considerar-se com exatidão, sem ilusões, e a reconhecer as bobagens que a sra. Ehrenfried devia ter percebido anos antes, quando a convidara a trabalhar com ela. Pois não pensara em ter Suze L. como assistente; mas, sim, como aluna.

Suze L., que nunca se preocupara com o corpo até o dia em que ele se tornou fonte de dores, percebeu que costumava respirar superficialmente e aos arrancos. Retinha o ar do mesmo jeito como costumava represar as emoções e a cólera. Conformada desde há muito com o fato de não saber nadar, teve enfim coragem de entregar às águas profundas o corpo relaxado, descobrindo que sabia nadar e que isso lhe dava prazer. Outrora desajeitada, incapaz de lavar a louça sem quebrar um copo ou de tomar uma xícara de café sem derramar, conseguiu chegar a gestos seguros e fluentes.

No decorrer de vários meses de trabalho preciso e intenso, compreendeu que seu "lado bom" era melhor do que imaginava. E descobriu, principalmente, que o ombro bom estava ligado por nervos e músculos ao ombro dolorido, que as costelas estavam ligadas à coluna vertebral, cujas vértebras se articulam entre si. Compreendeu, enfim, que a energia e a corrente de bem-estar que percorriam o lado bom, poderiam passar para o lado doente e que este não devia ser considerado como morto; mas, sim, solicitado a viver como nunca.

No início, a carne dolorida resistiu, com medo de novos sofrimentos, parecendo querer ficar de lado, escapando à unidade do corpo. Ela insistiu e, logo, o corpo consciente de seus mínimos progressos foi ganhando confiança. Parecia até que o corpo precedia a vontade que ela procurava impor-lhe. Bem depressa teve a impressão de que o próprio corpo procurava restabelecer a unidade e que sabia, melhor do que ela, como fazer.

Comecei a participar de todos os grupos, cinco ou seis por dia. Só fazia isso. Pés, pernas, coluna vertebral, respiração, tudo precisava ser trabalhado. É demorada a reconstrução de um corpo que descobre sua força!

"– E agora?

– Continuo a trabalhar todos os dias. Experimento primeiro comigo todos os movimentos que ensino aos alunos. Preciso compreender esses movimentos com o meu corpo antes de recomendá-los a outros corpos. Como fazem os convertidos, meu corpo quer pregar aquilo que sabe. Mas às vezes... Você vai descobrir que sua nova profissão não se aprende nos livros."

A voz tornou-se ainda mais suave.

"– É uma profissão terrivelmente exigente. Profissão desgastante."

Não entendi. Pelo menos não naquele momento.

·3·

A sala de música

Com trinta e seis anos, estudante tardia, matriculei-me numa escola a fim de conseguir o diploma. A diretora que, segundo diziam, fora enfermeira de ambulância durante a guerra de 14, era o pavor dos alunos. Quando me apresentei, aquela mulherona decidida chegou perto de mim, deu-me um tapa enérgico no ombro e disse bruscamente: "Não vamos ficar falando do que aconteceu com você". Para mim, ela foi uma aliada generosa que se empenhou no meu sucesso.

Comecei a aprender o que há sob o envelope: ossos com um número incrível de superfícies articulares, tuberosidades, tubérculos, músculos: uma meada de fios que, para desembaraçar, era preciso saber onde as pontas começavam e acabavam. A complicada rede dos nervos. Tudo isso desenhado direitinho, a partir de um cadáver apresentado num dos tomos do *Rouvière*, livro que meu marido usara nos primeiros anos do curso de medicina.

A linguagem era fácil, mas a minha dificuldade era admitir que esses desenhos petrificados, tão técnicos quanto os de uma máquina, pudessem corresponder à realidade do corpo vivo que me parecia sempre em movimento, carregado de energia; uma unidade e não a reunião de peças soltas.

Uma noite, larguei de repente o livro que estava lendo e telefonei para a sra. Ehrenfried.

"– Venha à aula de amanhã, às cinco. Chegue uns dez minutos mais cedo."

Desliguei impressionada com a musicalidade da voz que tinha um leve sotaque alemão.

No dia seguinte, deparei com uma mulher de certa idade, grande, forte, de cabelos brancos bonitos e curtos. O olhar penetrante logo parou acima do meu rosto.

"– Pensei que você fosse loira.
– Como?
– Você tem voz de gente loira."

No fundo da grande sala clara, cuja janela dava para o cemitério de Montparnasse, havia um imenso piano de cauda e uma porção de tapetes coloridos. E flores, muitas flores, em cima do piano, nos vasos que estavam no chão em volta da sala toda.

Voltou-se para mim.

"– Espere um momento, por favor. Pode sentar-se."

Mas não havia cadeiras. Quando ela voltou, desculpei-me por ter chegado tão cedo.

"– Talvez a senhora queira preparar sua aula.
– Nunca preparo aula! É preciso trabalhar de acordo com os participantes. Basta ver como eles são para saber do que precisam. Uma aula preparada com antecedência está de antemão fracassada.
– Ver, como?
– Aprenda, primeiro, a ver-se; em seguida, a ver os outros e, enfim, faça com que eles se vejam. Essa é a tarefa mais importante do trabalho para o qual você está se preparando.
– E os exercícios?
– Os o quê?"

A voz subiu uma oitava. Não tive coragem de repetir a pergunta.

"– Essa palavra não existe no meu vocabulário e não deve existir no seu, se você quer fazer um trabalho que preste."

Em seguida, como tentando apagar imediatamente e de uma vez por todas as idéias errôneas já adquiridas, olhou-me bem e pôs-se a explicar a essência do seu método.

"– Aqui nunca fazemos a repetição mecânica de um movimento. Forçar o corpo a agir contra seus reflexos inconscientes não serve para nada, não tem efeito duradouro. Assim que a atenção se distrai, o corpo retoma seus velhos hábitos. A explicação escolar é imediatamente esquecida. O que tentamos fazer é *tornar perceptível à sensação* o que há de defeituoso nas atitudes e movimentos executados involuntária e habitualmente. É a experiência sensorial do corpo que buscamos. Já reparou que na minha casa não há espelhos?"

As paredes estavam cheias de estantes com velhos livros encadernados, revistas de medicina, obras em alemão, partituras musicais.

"– A descoberta que o aluno faz de si deve vir de dentro dele mesmo e não do exterior. Ele não precisa dos olhos para verificar o que o corpo faz. Toda a atenção deve concentrar-se no desenvolvimento das percepções não-visuais. De qualquer jeito, os olhos só podem ver o que está diante deles."

Abanei com a cabeça para mostrar que eu compreendia, mas ela nem me olhou.

"– Quando enfim o aluno consegue tomar consciência de um movimento desajeitado ou da imobilidade de uma parte do corpo, experimenta um sentimento desagradável, quase incômodo. O corpo fica com vontade de aprender um jeito melhor de se movimentar ou de se manter. Cabe a nós dar-lhe a oportunidade de criar novos reflexos que lhe permitirão o rendimento máximo que deseja. Pois o corpo é feito para funcionar ao máximo. Senão ele se estraga. E não só os músculos, mas todos os órgãos internos. Bem, tudo isso vai ficar mais claro depois. Basta escutar.

– Sim, senhora. Vou escutá-la.

– Não adianta nada, se você não escutar também o seu corpo."

Tocaram a campainha. Várias pessoas de idades diversas entraram. Ao todo, éramos doze. Mais tarde, soube que alguns eram kinesiterapeutas clássicos, insatisfeitos com os resultados obtidos junto aos pacientes; havia também um médico que praticava a acupuntura, uma professora de excepcionais e pessoas com corpos visivelmente deformados que vinham em busca de auto-reeducação.

A sra. Ehrenfried puxou um tamborete da entrada e sentou-se.

"– Espreguicem-se."

Fico parada, não sei o que fazer.

"– Vamos, pode espreguiçar-se de qualquer jeito. Como quiser. Como um bebê ou como um gato."

Não é fácil espreguiçar-se "a frio". Quando pequena, eu era proibida de me espreguiçar, sobretudo à mesa. A sra. Ehrenfried vem ajudar-me.

"– Abaixe-se um pouquinho para a frente. Levante um pouco os braços diante do corpo. Pense que a parte superior de seu corpo vai se esticando para o céu. Agora flexione ligeiramente os joelhos. As coxas, as pernas vão-se esticando para a terra. Imagine que a cintura é a fronteira entre céu e terra. E as costas? Está sentindo como elas espicham?"

Abano a cabeça, mas ela não estava esperando resposta.

"– Agora, deitem-se de costas, por favor."

A mim parecia que, de pé, já enchíamos a sala toda. Os outros se ajeitaram como puderam, arranjando minúsculos territórios com os tapetes coloridos. Só eu fiquei de pé, encostada no piano.

"– Mas você não é tão grande assim. Ponha a cabeça em baixo do piano. Há lugar de sobra."

E foi assim que começou uma aula durante a qual descobri que meu pescoço, que sempre me parecera longo e elegante, era, de fato, duro, sem graça.

Depois que me deitei de costas, a sra. Ehrenfried perguntou-me se eu sentia o peso da cabeça no chão. Já ia respondendo que sim, pois eu sabia muito bem que a cabeça é pesada; até me ensinaram que o peso médio da cabeça é de 4 a 5 quilos. Mas hesitei. Parei para perceber o que experimentava e descobri que mal sentia o peso da cabeça no chão. Todo o peso da cabeça estava sustentado pela nuca. Ela recomendou-me que deixasse a cabeça ficar como a maçã que pende do galho. Sentada no seu tamborete a 3 metros de distância, ela ia me ajudando, apenas com palavras, a sentir a maçã tornar-se mais pesada e o galho mais leve.

Comunicou-me a sensação de que minha nuca começava não na altura dos ombros mas entre as omoplatas, e que podia dobrar-se para a frente "como o pescoço do cisne".

Gostei dessas imagens fora de moda e simples, que concentravam toda a minha atenção na parte do corpo de que estávamos tratando. Mais tarde, nos meus próprios grupos, quando eu usava alguns destes movimentos para ajudar os alunos a se soltarem, tentava servir-me apenas de palavras, sem tocar nos alunos e sem fazer a demonstração dos movimentos. Não queria que eles me imitassem, nem que seus corpos obedecessem à pressão de minhas mãos; o que eu queria é que chegassem por si mesmos à descoberta sensorial do próprio corpo. "Se você precisa tocar, é porque não sabe indicar", dizia a sra. Ehrenfried.

Mas as palavras também são coisa delicada. Se a sra. Ehrenfried me tivesse dito: "Sua nuca está enrijecida", eu não teria acreditado, pois achava minha nuca muito bem como estava. E, se ela me dissesse que, diante de um eventual ataque, eu me fechava, ou que não dava à cabeça seu justo peso, porque até há pouco tempo contava com outra cabeça que pensava por mim, eu não teria prestado atenção nas suas observações. Ou então uma percepção assim tão aguda me teria dado medo. De fato, imagens simples, relacionadas com a Natureza, são muito úteis na medida em que permitem a cada um encontrar seu próprio caminho para chegar às realidades do comportamento psíquico e corporal.

Durante essa primeira aula, comecei a compreender que os movimentos indicados pela sra. Ehrenfried eram intencionais. Assim como as notas de música se juntam para compor a gama, os movimentos da cabeça, ombros, braços, ancas, pernas, iam-se articulando e revelavam ao corpo a interdependência das partes.

Um outro aluno, jovem compositor que há anos estudava com ela, levava mais longe a analogia musical. Dizia que as aulas lhe lembravam o curso de harmonia. "Harmonia", "harmonioso"..., palavras que para mim quase haviam perdido o sentido de tanto que foram usadas para descrever coisas anódinas. Mas, para ele, a palavra "harmonia" tinha conservado a exata definição musical: a ciência dos acordes e das simultaneidades. Bem mais tarde, à medida que meus gestos foram-se tornando mais "naturais", pois passei a usar os músculos e a energia apropriada, consegui compreender como o movimento de uma parte do corpo é "vivido" pelo corpo inteiro e como sua unidade compõe-se da simultaneidade de movimentos não contraditórios, mas complementares.

Foi com a sra. Ehrenfried que aprendi também a reconhecer e a respeitar o ritmo particular do corpo, a dar-lhe tempo para descobrir as novas sensações que procurava. "Um esforço novo para o braço ou a perna exige o uso de impulsos nervosos que até então não haviam sido empregados. Se você se afobar, ficar forçando, suar de esforço, vai deixar de 'ouvir' o corpo. Nosso trabalho é delicado e preciso."

Para a sra. Ehrenfried, a respiração é a base do corpo harmonioso. Respiramos com parcimônia, dizia-nos. "Como o dono de um apartamento de cinco quartos, que vivesse na cozinha."

Eu me considerava mais preparada que os outros. Já havia até ensinado a prática da respiração a gente que sofria de paralisia dos músculos abdominais ou dos músculos intercostais.

A sra. Ehrenfried manda que nos deitemos no chão.

"– Não façam nada. Procurem respirar. Só isso."

Inspirei energicamente, enchendo a caixa torácica. Depois expirei um pouco pelo nariz e imediatamente inspirei de novo.

"– Respirando desse jeito você não vai morrer, disse ela. Mas também não vai viver. Isto é, viver plenamente."

Percebi que minha dificuldade era a de quase todos os outros. Eu não expirava. Retinha o ar nos pulmões que se distendiam apenas em parte e tinham perdido o costume de expulsar o ar. Para mim, respirar bem significava inspirar bem, encher a caixa torácica, mexer as narinas. Mas, de fato, o mais importante é expirar.

E como aprender a respirar? A sra. Ehrenfried desprezava as diversas práticas que consistiam em bloquear o ventre ou o diafragma ou em "concentrar-se", para voltar aos maus hábitos à primeira distração. A respiração deve ser natural. Cabe ao corpo encontrar, ou melhor, reencontrar o ritmo respiratório que lhe é próprio.

Mas por que perdemos nosso ritmo respiratório natural? Desde pequenos, cortamos a respiração quando temos medo, ou quando nos machucamos. Mais tarde, prendemos a respiração quando tentamos não chorar ou gritar. Acabamos só respirando quando queremos exprimir alívio ou quando "temos tempo".

Respirar superficialmente, irregularmente, torna-se o meio mais eficaz de nos dominarmos, de não termos mais sensações. Uma respiração que não chega a nos oxigenar bastante faz com que o trabalho dos órgãos vá perdendo a velocidade, reduzindo nossas possibilidades de experiência sensorial e emotiva. Assim, acabamos "bancando o morto", como se nossa maior preocupação fosse a de sobreviver até que o perigo – viver! – tenha passado. Triste paradoxo. Sinistra armadilha da qual não procuramos escapar, porque não temos consciência de estarmos presos.

Como permitir ao corpo que reencontre sua respiração natural perdida há tanto tempo? Outra vez a sra. Ehrenfried pediu que nos deitássemos de costas e que, além disso, fechássemos os olhos. Falando bem baixo, embalando-nos com suas palavras, mandou-nos imaginar que os olhos, em vez de sair da cabeça, estão descansando nas órbitas, "como pedrinhas que deixamos cair numa poça d'água. Esperem que os círculos parem".

Relaxei e, por um momento, deixei de lado minhas preocupações cotidianas. Foi então que soltei um profundo suspiro. E, a partir desse suspiro, dessa grande expiração involuntária, reencontrei meu ritmo normal!

Em vez de inspirar generosamente, de soprar avaramente e de, logo em seguida, inspirar de novo, eu tinha achado a respiração em três tempos: 1) inspirava; 2) expirava completamente; e 3) meu corpo esperava.

Esperava ter necessidade de ar, antes de respirar outra vez. Soube depois que essa pausa correspondia ao tempo de que o corpo precisa para utilizar a provisão de oxigênio trazida pela respiração anterior. Pela primeira vez depois de semanas, eu gozava de uma profunda paz interior. Pus-me a bocejar, bocejos enormes, incontroláveis, como se estivesse satisfazendo enfim uma sede de ar há muito reprimida, talvez desde a infância.

O mais extraordinário, sem dúvida, é que, após haver reencontrado o ritmo respiratório natural, meu corpo conservou-o para sempre. As ansiedades que outrora haviam deformado minha respiração cediam diante da autoridade de um corpo que provava que "sabia o que tinha a fazer", que agia para o meu bem.

A partir do momento em que me oxigenei regular e suficientemente, em que meus pulmões e diafragma trabalhavam ao máximo e que, por um movimento suave e contínuo, conseguiam "fazer massagem" no fígado, estômago, intestinos, constatei ainda outras melhorias. Recobrei o apetite. A insônia desapareceu. Concentrei-me mais nos estudos. Sentia-me mais preparada, pronta para enfrentar novas responsabilidades cujo alcance, no entanto, me era desconhecido.

Bem depois, refletindo sobre o trabalho e a pessoa da sra. Ehrenfried, pude apreciar como seu conhecimento do corpo-máquina, tal como é representado nos *Rouvière*, não a havia impedido de procurar um pouco mais longe, isto é, um pouco mais perto.

Médica com diplomas não reconhecidos, ela só podia "praticar" no próprio corpo. Compreendeu que a saúde não dependia do emprego de tratamentos vindos de fora, mas da justa utilização do corpo mesmo.

A casa mal-assombrada

Está na hora. Na sala de trabalho, espero minhas primeiras alunas. São quatro. Na véspera, recebi uma de cada vez, para vê-las por alguns minutos, para começar a olhar como elas são. E para escutá-las. As três primeiras foram rápidas. A quarta, V., falou muito tempo, incansável.

Uma fala aos arrancos: as palavras estourando como fogos de artifício, parando de repente e ficando assim, um instante, enquanto atrás das pálpebras que piscam, o olhar é fixo; e depois um novo jorro de faíscas. O registro escorregadio, imprevisível: primeiro a voz baixa, agradável que, no meio da frase e sem relação com o conteúdo, sobe, arranha, engasga e depois cai, como se não tivesse havido nada.

Ela não procura dominar essa torrente vocal. Parece nem tomar conhecimento. Conta-me que, por sugestão do seu psicanalista que é meu amigo, resolveu freqüentar o meu curso. Palavra de analista é sagrada. Fico sabendo que ela tem um trabalho interessante, mas que não a interessa. Que seu casamento vai indo por água abaixo. Que o filho que ela queria, não veio.

"Por isso vivo comendo bombons, concluiu. Não paro de comer bombons."

Fico admirada com a facilidade que ela tem para contar seu problema: parece uma artista que está lendo pela primeira vez o papel, que ainda não se "encarnou" na personagem. Não sei dar-lhe a réplica, Mas, no seu monólogo, ela não espera nada de mim. Já de pé, despede-se e sai depressa.

Depois que ela vai embora, sua voz, suas vozes, continuam no meu ouvido. Mas meus olhos não se lembram de nada; apenas que ela é morena. Seu palavreado formou uma espécie de cortina atrás da qual ela conseguiu ficar escondida, tornar-se invisível.

Com H., amiga de uma amiga, a entrevista foi bem curta. Quando perguntei: "Por que você quer fazer o curso?", respondeu com um leve sotaque que não consegui localizar: "Para perder a barriga". Mas ela não tem barriga; não tem gordura nenhuma. Foi manequim, tem pernas e pescoço esguios. E extremamente rígidos. Não parece que ela tenha consciência disso. Nem do jeito de esticar a cabeça para a frente, quando se abaixa, que faz lembrar uma tartaruga saindo da carapaça. Como se estivesse muito à vontade, dá um belo sorriso profissional e vai embora.

C., amiga minha há muito tempo, tenta contar-me, nessa primeira entrevista "oficial", os detalhes de um tombo sério que levou quando era menina e da operação de hérnia do disco a que se submeteu anos atrás. Ainda sofre disso e detesta tocar no assunto.

N., vizinha do prédio, quer fazer "um pouco de ginástica" por curiosidade e porque fica perto. Mas, ao despedir-se, acrescenta que havia "esquecido" de dizer que às vezes sente dores nas costas e chega a precisar, várias vezes por ano, de alguém que trate de suas vértebras.

Como aprendi na escola a importância da patologia vertebral, parece-me evidente que devo cuidar principalmente da minha amiga C. e da vizinha N.

E eis que chegam as quatro, de malha e pulôver liso. Só V. está com um pulôver preto listrado de ziguezagues brancos.

Faz doer a vista, E são os olhos dela que piscam. Entra com cuidado na sala vazia.

"– Estou com tontura", diz.

Será que a sala está clara demais?

Depois de se espreguiçarem um pouco, peço que se deitem no chão. V. solta um enorme suspiro de alívio. Será que deitada ela encontra a segurança (relativa) do divã do analista?

Peço que cada uma imagine a marca côncava que o corpo imprime no chão. Acaba o alívio de V. As pálpebras batem. Irritada, levanta o ombro, dá-lhe um tapa, empurra-o contra o chão. De repente, senta-se e fica encolhida apertando os dedos do pé esquerdo com as duas mãos.

"– Estou com câimbra! Sempre tenho isso. De noite, chego a acordar. Que é que isso quer dizer? De onde vem?"

Fica espantada porque eu não sei. As outras alunas, caladas, continuam a procurar no chão um lugar onde se aninhe o corpo. Minha amiga C. tirou os óculos. Fico emocionada ao vê-la assim, de olhos fechados, com expressão de fervor.

Mas os males de V. acabam por dominar. Por causa de seus dedos do pé pateticamente espetados, sentamo-nos para trabalhar as articulações dos dedos e dos pés. Tento estabelecer um ritmo lento, uma progressão gradativa dos movimentos. Porém não consigo resistir à agitação de V., e os movimentos acabam sendo feitos mais depressa do que eu queria.

No último movimento em que se estica a parte posterior das pernas, assim como um gato que, ao espreguiçar-se, mostra as garras, V. parece enfim um pouco mais calma. Mas, desde que a aula acaba, temos direito a uma verdadeira explosão verbal: o máximo! Ficamos sabendo, entre outras coisas, que ela é ao mesmo tempo dona e escrava de duas gatas (eis por que a imagem das garras a interessou). Enquanto as quatro se arrumam na outra sala, escuto ainda a voz de V. dominando a conversa. E continua mesmo depois da saída delas, através da porta fechada.

Sozinha, no silêncio, tenho a impressão de ter falhado. De ter sido tapeada. Eu, que tinha a intenção de me concentrar naquelas que sofriam "de verdade", deixei que toda a atenção se concentrasse numa moça que nem se queixara de dor. E eu continuava incapaz de ter uma idéia precisa de seu corpo. O olhar intenso fixo em mim, como se quisesse interceptar o meu olhar, o pulôver que doía na vista, a constante agitação vieram juntar-se à armadura verbal. Sem palavras, o corpo dela grita através das câimbras, do piscar de olhos. Que verdade abafada, recôndita, acha V. que querem arrancar-lhe? Que segredo defende com tanta sofreguidão?

Horas mais tarde, ainda continuo insatisfeita com o desenrolar da aula e com dores nos braços, ombros, pernas. Eu! E no entanto só me lembrava de ter usado a voz. Imóvel diante das alunas, não tinha nem me virado. Como a mãe que, nem por um minuto, tira os olhos de cima dos filhos pequenos. De medo que se machuquem, ou que surja um perigo imprevisível não se sabe de onde. E se meu trabalho fosse de fato perigoso? Sei perfeitamente, porém, que esses movimentos não exigem força muscular, não oferecem nenhum perigo para o corpo. Só bem mais tarde é que fui compreender essa primeira impressão meio vaga de estar me metendo num domínio perigoso.

Ia me deitar mais cedo, quando toca o telefone. Uma voz de mulher que diz estar com um torcicolo doloroso. Não reconheço a voz. Se fosse N., minha vizinha, não seria surpresa. Mas é H.

Chega rapidamente à minha casa. A sua bela máscara de manequim exprime cólera em vez de dor. Ao examiná-la, percebo que, além dos músculos do pescoço e ombros, também os das costas e pernas estão retesados. Enquanto tento desmanchar os nós dos trapézios da nuca, bem contraídos do lado direito, ela me pede que não faça cerimônia, que faça o que for preciso, porque ela deve estar em forma no dia seguinte. Ela tem que estar. Por quê? Porque deve levantar cedo. Deve fazer feira. Deve fazer o almoço. Deve ir buscar a filha na estação.

"– Ela estava de férias?

– Não, ela mora com minha mãe. Mas, no último sábado do mês, ela tem que vir à minha casa. Não gosta. Chora para não vir. Mas tem que vir.

– Ah!

– Tenho que recebê-la." E atira-me em seguida: "Não pense que acho divertido". E fica esperando minha reação.

Continuo tratando dos nós da nuca. Ela recomeça:

"– O que mais me dá nos nervos – como você diz – é ter que comprar a comida. E cozinhar.

– Você faz os pratos que ela prefere?

– De jeito nenhum. Ela tem que comer de tudo."

Fico imaginando H. na feira, hesitando em cada banca, procurando escolher as coisas menos gostosas.

"– Pode fazer com força, repete. Amanhã, você sabe, tenho que..."

Tenho quê! Ela tem quê! Essa moça, que parece dona de uma vida livre, estará amarrada pelo dever a tal ponto que até o corpo se imobilizou!

"– Você tem torcicolos com freqüência?

– Não!" Em seguida: "Não sei. Não presto muita atenção. Mas tenho sim. Uma vez por mês. Nem sei; talvez mais".

Para mudar de assunto, digo-lhe que tem um sotaque bonito, mas que não consigo reconhecer.

"Ninguém consegue." Longo silêncio. E depois, sem que lhe faça perguntas, conta-me que nasceu na Áustria e foi criada na Argentina. "À austríaca", precisa ela.

Muito mais do que o pai, foi a mãe que lhe ensinou a disciplina. Aprendeu a mergulhar na água gelada, a andar horas seguidas embaixo do sol escaldante, a dormir no chão, a atravessar o imenso jardim à noite sem lanterna, a não fazer caso das machucaduras, a nunca chorar.

"– Eu não tinha medo de nada, nem das hienas que uivavam de noite."

Não tem queixas contra esse tipo de educação. Fala disso com orgulho, enquanto minhas mãos sentem de novo enrijecerem-se os músculos que tinha acabado de amaciar.

"– Eu só tinha medo de cobra. E havia uma porção." Ainda: "Minha filha tem medo de tudo. Até minha mãe não consegue nada com ela.

– Que idade ela tem?

– Já tem cinco anos. Acho que não há mais jeito."

Ela fica calada e eu também. Como explicar a esta mulher que a rigidez de seus músculos é indissolúvel da rigidez dessa educação de que ela se orgulha e que quer impor à filha? Ela se diz satisfeita, mas o corpo protesta. Ele estaca diante dos obstáculos, que ela se obriga a ultrapassar. Ela pensa que gosta de si mesma; só vê como imperfeição no corpo uma barriga que não existe. Como fazer-lhe compreender que não gosta dela mesma, e que não pode gostar nem de si, nem da filha, enquanto não tomar consciência do próprio corpo amordaçado e que também acha que tem que domar?

Mesmo se esta explicação pudesse ser compreendida e aceita intelectualmente por H., as coisas ficariam na mesma. Meu único trabalho consistia em ajudá-la a reconhecer a rigidez de seu corpo. Concordou em vir regularmente.

Os torcicolos ainda foram freqüentes durante um ano, mas nunca com a mesma violência. No decorrer dos meses de trabalho que fizemos juntas, parecia-me às vezes que a máscara de desafio era substituída por uma expressão de introspecção, de verdadeira indagação.

Eu não lhe fazia perguntas; mas, quando olhava para ela, pensava na citação de Wilhelm Reich: "Toda rigidez muscular contém a história e a significação de sua origem. Quando ela é dissolvida, não só a energia é liberada... mas também traz à memória a própria situação infantil em que o recalque se deu."[1]

E o perigo que senti, ao terminar a primeira aula..., será que também era da memória que ele iria surgir?

Desde as primeiras experiências profissionais e através de anos de trabalho, constatei que todo novo aluno tem do corpo uma consciência parcial, fragmentária.

"Um pé não sabe por onde anda o outro", diz-se para fazer pouco de alguém. Ora, na prática, a dissociação, não apenas dos membros mas de todas as partes do corpo, é habitual e considerada como normal. Não sabemos como agem as partes do corpo entre si e também não sabemos como se organizam, quais são suas funções e verdadeiras possibilidades.

Adquirimos desde cedo um repertório mínimo de gestos, nos quais não pensamos mais. Durante o resto da vida, repetimos esses movimentos sem criticá-los, sem lembrar que são apenas uma amostra de nossas virtualidades. Como se tivéssemos aprendido só as primeiras letras do alfabeto e ficássemos satisfeitos com as poucas palavras que com elas podem ser formadas. Nesse caso, não só o vocabulário seria reduzido, mas também a capacidade de pensar, raciocinar, criar. Quando alguém usa apenas uma centena de palavras dentre as que compõem sua língua, é considerado débil mental. Ora, quase todos nós usamos no máximo uma centena de variações dentre os 2.000 movimentos (no mínimo) dos quais o ser humano é capaz. Mas nunca levaríamos a sério quem nos dissesse que somos débeis motores...

Se não sentimos estar em relação com nosso corpo, não será porque não percebemos a relação das partes do corpo entre si? Quanto à relação entre cabeça e corpo, a ruptura é quase

---

1. W. Reich, *La fonction de l'orgasme*, Paris, L'Arche, 1973, p. 236.

sempre total. Daí a falsa noção de separação entre poderes psíquicos e físicos. Para muitos, a cabeça é a cabeça e o corpo é o corpo. E não só isso. O corpo é praticamente o tronco que tem quatro membros que lhe estão ligados não se sabe bem como. Não temos bem consciência de que a cabeça está ligada à coluna vertebral, assim como os braços e as pernas. Cabeça e membros fazem parte do corpo? Ou são meros apêndices?

Por isso, ignoramos que seria possível aumentar nossas capacidades intelectuais se descobríssemos, primeiro, como nos orientamos no espaço, como organizamos os movimentos do corpo. Nem nos passa pela idéia que, se melhorarmos a velocidade e a precisão dos impulsos nervosos entre cérebro e músculos, melhoraremos também o funcionamento do cérebro.

Não costumamos também fazer a ligação entre corpo e cabeça, enquanto centro "metafórico" de nossas emoções e lembranças. Admitimos, é claro, que é preciso tempo e maturidade para saber "o que se passa em nossa cabeça"; passamos a vida toda pensando nesse assunto. Mas o corpo, que não é menos misterioso, que não deixa de ser "nós mesmos", que de fato é indissociável da cabeça, só é objeto de perguntas superficiais e malfeitas.

A rigidez do corpo, as limitações que ela nos impõe, não só nos causam mal-estar, mas chegam a fazer-nos sofrer. Sozinhos, é-nos quase impossível analisar e descobrir as causas reais desse mal-estar. A origem é camuflada por um detalhe que absorve toda a atenção: barriga proeminente, um ombro mais alto do que o outro, um dedo do pé dolorido... ou, então, a gente é "nervosa", tem insônia ou má digestão. Às vezes uma única árvore esconde toda a floresta.

Por conseguinte, o desejo profundo de quem vem "fazer ginástica" quase nunca corresponde à demanda expressa. Examinemos as demandas mais comuns: *perder a barriga; "fazer exercícios", porque a vida sedentária não é nada saudável; pôr-se em forma para as férias.*

Perder a barriga

Se as pessoas concentram toda a atenção na barriga, é porque só enxergam isso. Literalmente. Os olhos humanos são colocados de tal jeito, que o olhar se dirige para a frente e para a face anterior do corpo. Basta que a barriga seja um pouco saliente e já a estamos vendo; quase sempre, seja grande ou não, nós a consideramos exagerada.

Por quê? Voltemos a H., que queria perder uma barriga que só existia, a bem dizer, na cabeça dela. Vimos como esse corpo se revoltava contra a educação imposta pela mãe e como, através da atitude para com a filha, H. negava sua própria maternidade. Será que, para ela, barriga queria dizer "mãe" e que, de fato, ela estava procurando livrar-se da influência e da presença maternas?

Não vamos tirar conclusões apressadas. Mas também não deixemos de fazer perguntas. Principalmente quando se sabe que milhares de mulheres vivem sonhando com o "aplainamento" da barriga. Elas enxergam a barriga, que é naturalmente arredondada, como sendo obesa. Dizem que por causa da moda estão dispostas a tudo para conseguir o que, por definição, não podem ter: uma barriga de homem.

Quanto aos homens, ficam muito humilhados se tiverem uma barriga de "mulher". Será que esse desejo de serem como uma tábua não é para que, ao olharem para baixo, possam ver o sexo ereto?

Mas essa tão sonhada imagem achatada, que talvez corresponda a nossos medos escondidos, exprime também os limites de nossas percepções. As interessantes experiências de Paul Schilder, que pratiquei muitas vezes com os alunos, mostram que nos vemos em duas dimensões, e não em três.

A experiência consiste em pedir a alguém que se descreva como se estivesse em frente de si mesmo e vendo-se do exterior. A descrição vai sempre referir-se a uma imagem fixa, sem peso e volume, como o reflexo num espelho mal iluminado ou como uma antiga foto tremida, tirada há muito tempo. Assim, querer ser achatado como uma tábua corresponde à limitada percepção visual que temos de nós mesmos. Será que uma percepção mais profunda não poderia levar-nos ao corpo plenamente desenvolvido? Para saber qual é nossa "capacidade", nosso "conteúdo" potencial, não é preciso que nos consideremos como volume?

Centro de gravidade do corpo, ponto de convergência de vários eixos, núcleo vital onde a alimentação se converte em energia, primeiro laço, através do cordão umbilical, com a vida, o ventre só parece respeitado pelos orientais.

No Ocidente, esse centro tornou-se alvo... de desprezo. Consideramos a cabeça como lugar soberano do corpo. Seguem-se coração, pulmões, a parte chamada "nobre". E depois há as vísceras, ventre, órgãos genitais e o nervo pudendo ("vergonhoso", como é chamado em francês) que os percorre: a parte inferior. Quanto mais nos orgulhamos de ter pensamentos e sentimentos elevados, tanto mais preferimos ignorar nossas sensações baixas. Custa-nos ter que reconhecer o ventre quando se mostra ao nosso olhar ou quando se manifesta através da dor. Lembro-me dos conselhos de um professor de "boas maneiras" que tínhamos no internato: "Se, durante um jantar, vocês sentirem cólicas ou outras dores de barriga, é preferível levantar da mesa segurando a cabeça, como se estivessem com enxaqueca".

Distúrbios digestivos, prisão de ventre, úlceras, inúmeras são as doenças psicossomáticas que se situam na "parte inferior". Tomamos consciência da barriga, porque a vemos e também porque nos faz sofrer. Pois a vista e a dor são os dois principais meios de percepção para quem tem do corpo uma consciência parcial.

Essa série de considerações não procura todavia excluir o fato de que existem barrigas, com efeito, disformes e flácidas, bem como a vontade legítima de procurar diminuí-las e torná-las firmes. Mas o que se faz para isso?

Deitados e com as pernas erguidas, "pedalamos", fazemos "tesouras"; ou então, de bruços, erguemos e abaixamos o abdômen. Insistindo em exercitar apenas os músculos abdominais – ah! os famosos abdominais! – fixando-nos só neles, conservando pois a visão fragmentária do corpo, o que acabamos quase sempre conseguindo é prejudicar a região lombar. É claro que à força de pedalar centenas de vezes você pode chegar a ter uma barriga rija. Mas na medida em que os exercícios o forçam a dobrar as costas que, por sua vez, empurram a barriga para a frente, você vai ter uma *grande* barriga rija. Além disso, a rigidez só se conserva se você não parar "os exercícios", isto é, se você continuar a prejudicar as costas. Por quê?

Porque você só tem consciência do efeito – barriga flácida – sem buscar mais além a causa. De fato, não é a barriga que merece toda a atenção. O mais urgente é desfazer as contrações das costas. Só depois de conseguir soltar os músculos das costas é que você verá a barriga desaparecer. No capítulo seguinte haverá explicações mais completas a respeito das costas, essa parte que você desconhece, que escapa ao seu olhar e, portanto, fica fora de controle, essa parte que os outros vêem sem que você saiba o que ela revela de você.

Mas, desde já, comece a compreender a interdependência dos músculos anteriores e posteriores fazendo esta simples experiência. Coloque-se de pé, pés paralelos e bem juntos, os dedões encostando-se e os lados internos do calcanhar também. Verifique se os pés estão bem no eixo que corresponde ao meio do corpo.

Deixe cair a cabeça para a frente. O alto do crânio deve conduzir o movimento, fazendo com que a nuca se incline e que

"...Você terá uma grande barriga rija."
Picasso, *O Alterofilista*. © SPADEM, Paris, 1976.

o queixo fique perto do esterno. É fácil dizer, mas você vai ver como movimento tão elementar não é fácil de realizar. Ou a cabeça simplesmente não obedece e não cai de jeito nenhum, ou, então, a nuca não chega a se despregar dos ombros. Ou ainda, se a nuca consegue dobrar-se como o pescoço do cisne ou do cavalo, sentimos repuxões e até dores nas costas todas.

Se você conseguir inclinar a nuca, deixe solta toda a parte superior das costas. Os braços devem ficar caídos para a frente, como os de uma marionete. E já os pés querem afastar-se. Por quê? Para restabelecer o equilíbrio, aparentemente. Mas há uma explicação mais exata que será dada adiante. Por enquanto, mantenha os pés encostados. E continue a abaixar a cabeça. Mas sem forçar; não faça vaivém para conseguir chegar mais longe. Deixe-se simplesmente abaixar, como se as costas fossem aos poucos puxadas pelo peso da cabeça.

Veja até onde chegam as mãos pendidas. Até o joelho? Até a canela? Até o tornozelo? Até o chão? Se as mãos encostam no chão, olhe para os joelhos; aliás o olhar não pode estar longe. É bem provável que um joelho esteja virado para o outro. E lá estão os dois virados para dentro! Examine os pés. Os dedões se separam, acentuando um eventual *hallux valgus* ou joanete.

As palmas da mão estão no chão, espalmadas, bem no eixo do corpo? Os joelhos estão juntos, firmes e voltados para a frente? As pernas estão retas, com os joelhos a prumo do astrágalo? E a cabeça? Está solta, largada? Então, bravos! Tenho certeza de que sua barriga está achatada, firme, sólida e de que toda a musculatura dorsal está flexível, distendida.

Mas talvez você tenha desistido há pouco, quando descobriu que lhe faltam 20 ou 30 centímetros. Talvez você tenha pensado: "Sou mesmo pesadão. E daí?"

Daí, a rigidez que você sente nas pernas é a mesma do conjunto da musculatura posterior, desde a base do crânio até a planta dos pés. Não é na parte da frente que você "está enco-

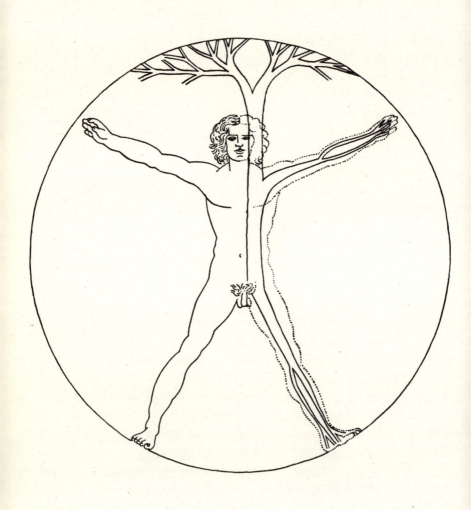

lhido" mas sim na de trás. Os desvios dos joelhos e das articulações do pé estão de prova. Os ossos enviesam-se, quando os músculos se encolhem; e as articulações deformam-se, quando essa retração se torna rigidez permanente. Esse encurtamento de toda a musculatura dorsal é a causa da barriga saliente que você detesta.

A tensão da parte posterior da coxa é a causa da respectiva parte anterior ser mole e fofa, coisa de que você também não gosta (sem belos quadríceps, ninguém consegue ter um belo porte). E a rotação interna dos joelhos é a causa dessas placas de gordura dos quadris que nenhuma massagem consegue desfazer de maneira definitiva. Se você é balofo na frente, é porque é tenso demais atrás.

Tais conclusões talvez o surpreendam; darei maiores explicações no capítulo seguinte. Creio, porém, que você já começou a compreender que os exercícios clássicos para enrijecer coxas ou barriga conseguem justamente o efeito oposto ao que pretendem. Entendeu que não pode trabalhar separadamente a parte do corpo que tem, na aparência, mais necessidade. Pelo contrário. O "defeito" é apenas efeito de uma causa que se situa noutro lugar, quase sempre escondida, porque está, literalmente, nas suas costas.

Perceber-se de forma fragmentária faz com que você fique tão vulnerável quanto o avestruz e tira-lhe a possibilidade de desenvolver todos os recursos de flexibilidade e beleza do corpo, que permanece, quer você saiba ou não, uma unidade indissolúvel.

Ao apalpar os músculos e ao procurar perceber lentamente o que você sente, você começou a conhecer o corpo de maneira mais completa do que quando usa apenas o olhar. Talvez uma rápida explicação da organização e da simetria do corpo possa ajudar você a melhor compreendê-lo.

Confesso que foi graças ao desenho de um homem (ou de uma árvore) feito por meu filho de sete anos que consegui compreender a analogia entre membros superiores e membros inferiores. Temos um osso no braço (o úmero, cuja cabeça umeral se articula com a omoplata) e um osso na coxa (o fêmur, cuja cabeça femoral articula-se com o osso ilíaco da bacia). O antebraço e a perna têm dois ossos cada um. A mão é feita de 27 ossos e das articulações correspondentes, que lhe permitem ampla gama de movimentos com maravilhosa precisão. O pé é feito de 26 ossos e das articulações correspondentes, que, normalmente, também lhe oferecem inúmeras possibilidades. (Mas quanta gente tem mãos duras, "desajeitadas", e pés que parecem feitos de pedra, verdadeiros pedestais?) Assim como os ramos e raízes da árvore, as extremidades do tronco humano ramificam-se e vão afinando.

Caixa craniana, *caixa* torácica, *bacia*, além do nome de "recipientes" têm em comum o fato de estarem todas as três articuladas com a coluna vertebral.

E a coluna vertebral? Que mistério para a maioria das pessoas! Chegamos a saber que temos 33 vértebras, porque lemos ou ouvimos falar disso. Mas, quando pedimos a alguém que se deite no chão e diga quantas vértebras sente encostar, a resposta varia quase sempre entre duas e uma dúzia. Esquecemos que a coluna vertebral começa no crânio, sustentado pela primeira vértebra (o Atlas). E que a nuca e suas 7 vértebras fazem parte da coluna. A região dorsal com suas 12 vértebras onde se articulam os 12 pares de costelas também é bastante ignorada, a menos que algumas vértebras, mais salientes, se tornem dolorosas. A região lombar parece a mais conhecida, com certeza porque é a que dói mais. Mas, em geral, ela se apresenta arqueada e de modo algum suas 5 vértebras encostam no chão. O sacro, sim, encosta. A gente fica até em equilíbrio doloroso e instável sobre o sacro. Mas no minúsculo cóccix, nem de longe, a não ser que a gente leve um tombo e caia sentado. Entretanto ele é com freqüência maltratado e apresenta formas estranhas – como um anzol ou saca-rolhas – que afetam o resto da coluna.

Raros são aqueles que percebem as semelhanças entre cabeça e bacia, ambas arredondadas e capazes de encontrar-se harmoniosamente, uma voltada para a outra, deixando à mostra todas as apófises espinhosas..., se não forem impedidas por alguma zona morta.

Às vezes os que começaram a trabalhar o corpo ficam com medo (só eles sabem o porquê) e desistem: "Está certo. Tenho uma percepção fragmentada do meu corpo. Azar meu. Mas não chega a ser uma doença."

Não procuro contradizê-los. Não assumi o papel de convencê-los ou de impor-lhes conhecimentos. Mas às vezes fico com vontade de dizer-lhes que, justamente, a percepção parcial do corpo assemelha-se a uma doença..., à doença mental.

O que no ser normal chamamos de fragmentação das percepções corporais pode tornar-se patológico. Não só o doente não tem consciência do corpo como unidade, como lugar preciso e homogêneo, mas ainda percebe as partes do corpo como seccionadas, fisicamente separadas umas das outras. Assim, sentado numa poltrona, ele pode soltar um grito de dor porque seu pé acaba de ser "esmagado por um carro na *place de la Concorde*"; ou então pode pedir que enterrem seu braço que "morreu enquanto ele dormia".

É claro que quem não tem consciência do corpo como totalidade, ou cujo corpo comporta numerosas zonas mortas, não é forçosamente um esquizofrênico em potencial. Mas é certamente um doente potencial na medida em que ignora certas partes do corpo que, para ele, não existem; que, para compensar, abusa de outras e bloqueia a livre circulação de energia necessária a seu bem-estar.

Mas talvez o mais grave é que sua doença incipiente, dissimulada e quase sempre não percebida é contagiosa. Os parentes – especialmente os filhos – são os mais vulneráveis. Quantas deformações – ombros caídos, cabeça meio torta, acentuação das curvas da coluna, andar de "pata choca" – que consideramos hereditárias não são, de fato, resultado do mimetismo da criança? Recusar-se a tomar consciência do próprio corpo não equivale a furtar-se a responsabilidade ainda maior do que a que temos em relação a nós mesmos?

Mas não são apenas os que têm consciência de sofrer de mazelas comuns que abandonam o trabalho sobre o corpo. A desistência mais dramática da minha experiência foi a de N., mulher de cinqüenta anos. Ela padecia de grave deformação da coluna vertebral que lhe provocava um enorme calombo, dolorosos distúrbios digestivos, pernas violáceas, olhos inchados, terríveis enxaquecas que a punham de cama. N. suspendeu nosso trabalho no momento exato em que se tornou evidente que ela podia ficar boa.

Desde o início, parecia que ela me desafiava a conseguir melhorar seu estado. Mas, ao mesmo tempo, comportava-se como se já tivesse ou sempre tivesse tido um corpo normal. Com um olhar distraído, a voz indiferente, ela só falava de moda, dos novos vestidos que comprara, das festas sociais. Do próprio corpo, nada tinha a dizer. Não era assunto; não era o assunto.

Eu a tratava segundo o método Mézières, do qual falarei no capítulo seguinte. Por enquanto, digamos simplesmente que é um método natural que exige do doente a consciência do corpo, sua total colaboração. Mas N. parecia ausente do corpo, a ponto de nunca admitir que sentia dores, mesmo quando eu sabia que minha ação sobre seu corpo devia estar sendo extremamente dolorosa. Diante da gravidade das deformações e da falta de participação de N., fui obrigada a contratar uma assistente que substituísse, em parte, a presença da própria N.

Depois de um ano de trabalho semanal, conseguimos restabelecer quase completamente a circulação sangüínea das pernas, revigorar a pele seca e escamosa das costas, diminuir os distúrbios digestivos e reduzir a violência e freqüência das enxaquecas. Em cada etapa desses progressos, N. tornava-se mais agressiva. Parecia que estava zangada com o próprio corpo, porque, apesar dela, ele colaborava; porque na luta árdua que travávamos cada semana, o corpo estava mais do "meu" lado do que do dela.

No fim do segundo ano de tratamento, tornou-se evidente que a curvatura acentuada da coluna ia-se modificando. N. tinha crescido 1,5 centímetro. Quando me contava que fora obrigada a mandar encompridar os vestidos, parecia acusar-me. Dizia ainda que eu a fazia "perder" duas horas na estrada para cada hora que passava em minha casa.

Um dia, houve uma sessão em que as coisas tomaram um rumo decisivo. O corpo começava a ceder a nossos esforços; conseguíamos, por breves instantes, conservá-lo reto. Cheia de alegria, disse-lhe que estávamos prestes a recolher os frutos de tanto trabalho, que nas próximas sessões as transformações seriam visíveis, irreversíveis. Tal "encorajamento" teve, ao que parece, efeito contrário. O fato é que, no dia seguinte, telefonou-me para dizer que não viria mais, que estava muito ocupada e que essas duas horas de estrada...

Durante muito tempo, procurei compreender. Disse-me que o conflito era dela, que se passava dentro dela e que eu nada tinha a ver com isso. Mas sentia-me atingida, frustrada e mesmo culpada. Como se eu tivesse sido uma intrusa numa casa assombrada por fantasmas que defendiam seus poderes com unhas e dentes. Fiz-me inúmeras perguntas sobre o papel que desempenhei nessa batalha obscura e ambígua, que ela precisaria ter perdido para triunfar. Batalha na qual ela parecia me considerar não como aliada, mas como adversária que só poderia ser ludibriada com astúcia.

"Cuidado com o corpo, disse-me há muito um psicanalista que assistira às minhas aulas. Nosso corpo pertence ao domínio da mãe. Quando você procura abordar o ser pelo corpo, você entra diretamente nas camadas arcaicas da personalidade."

Transferência, contratransferência..., as etapas da relação paciente-psicanalista são codificadas; é preciso passar por elas. Mas no trabalho com o corpo, no trabalho essencialmente não-verbal, que palavras usar? Que código será adequado, senão o – secreto, indizível – das sensações?

*Fazer exercícios; porque a vida sedentária
não deixa a gente sentir-se bem*

Já vimos como a percepção do próprio corpo é parcial. Contamos sobretudo com nossos olhos, com as sensações de dor e com o tato, para obtermos informações sobre nós mesmos. Porque censuramos nossas sensações e diminuímos aos próprios olhos nossas reais dimensões, temos a impressão de não existir suficientemente. Quanto mais desconhecemos o corpo, mais desconhecemos a vida. Não tendo a posse do corpo, não podemos dele gozar. Falta-nos confiança; há tanta coisa que não ousamos fazer. Sentimo-nos incapazes e, com freqüência, temos razão.

Insatisfeitos conosco, que fazemos? Em vez de aprofundarmos o conhecimento do corpo e de percebê-lo de dentro, acrescentamos-lhe elementos na superfície. Roupas principalmente. Temos o máximo cuidado de escolher o que nos assenta melhor, o que favorece a nossa imagem, o que disfarça os defeitos do corpo e chega a compensá-los. Em vez de trabalhar o próprio corpo para desenvolver-lhe a elegância natural, contamos com o trabalho de desenhistas que nos oferecem uma elegância de confecção. Em vez de investirmos no corpo, investimos na roupa. Em vez de usarmos a roupa, é a roupa que nos usa, que nos sustém e que se encarrega de dar a aparência de unidade, o estilo.

Com os músculos atados, movimentos acanhados, sentimo-nos mal no corpo. Procuramos então extravasá-lo, prolongá-lo, para receber uma imagem mais alentadora. Fazemos isso quando estamos sós e, mais ainda, quando elaboramos nossa imagem para aparecer em público. Pois a própria imagem encontramo-la também, e às vezes principalmente, no olhar dos outros. Assim, para sermos "olháveis", usamos saltos altos, penteados que ultrapassam a forma da cabeça, jóias brilhantes, cílios postiços, seios postiços, sorrisos postiços sinteticamente coloridos. Mudamos o contorno da boca; alteramos a voz; adotamos o andar de determinada artista de cinema; passeamos com um cachorro escolhido conscientemente ou não para mostrar a imagem que temos de nós; ou com crianças vestidas e "adestradas" com essa mesma finalidade. Procurando por todos os meios animar o exterior do corpo, conseguimos cada vez mais nos afastar do centro.

"A imagem que nada exprime não pode ser bela", diz Elie Faure. Quando a imagem do corpo exprime apenas outra imagem – tirada do cinema ou de um figurino – não pode ter beleza, porque está afastada da realidade, da expressão autêntica. Expressão, aliás, que procuramos dissimular.

Mas é justamente nesse esforço para nos esconder, proteger, que revelamos toda a nossa vulnerabilidade. Porque a imagem que pensamos projetar não é forçosamente a que o outro recebe. Entre nossa intenção e o efeito que realmente produzimos, há quase sempre uma distância. Na máscara imperfeita, o outro só vê nossa necessidade de usar máscara, necessidade de nos mostrarmos diferentes do que somos. Pensamos enganar, mas somos nós que vivemos enganados, acreditando que os outros nos vêem como desejaríamos ser vistos.

Na verdade, por trás dos enfeites, continuamos a nos sentir mal. Por não sentir o corpo, dizemos que não nos sentimos bem. (Esse duplo sentido significativo existe em várias línguas ocidentais.) Queixamo-nos, porque nossa relação com os outros é superficial. Achamos que eles são fechados, inacessíveis. Mas, de fato, nós os percebemos tão mal quanto a nós mesmos. Se não conseguimos "atingir" o outro profundamente, não será porque flutuamos na superfície de nossa própria realidade? Se acusamos o outro de não saber ou de não querer colocar-se em nosso lugar, não será porque nosso "lugar" é mal definido, nosso "espaço" mal preenchido, porque estamos numa falsa posição em relação a nós mesmos?

É freqüente atribuir nosso mal-estar à vida sedentária. Apesar da rigidez e da falta de sensações terem origem bem antes disso, não estamos de todo enganados.

A imobilidade é, com efeito, um grande obstáculo à percepção do corpo e carregamos partes do nosso corpo que não se mexem há anos. Quanto mais tivermos zonas mortas, menos vivos nos sentiremos.

É só através da atividade que nossas percepções sensoriais podem desenvolver-se. Mas não de qualquer atividade. Não da atividade mecânica, da repetição do mesmo movimento dezenas de vezes. Isso só serve para exercitar a teimosia, para nos embrutecer. O movimento só serve como revelação de nós mesmos quando tomamos consciência do modo pelo qual ele se realiza ou não.

O caso de B., um dos meus primeiros alunos, serve para ilustrar vários aspectos destes problemas. Ao perguntar-lhe: "Por que o senhor quer fazer o curso?", esse homem de quarenta anos respondeu: "Porque não me sinto bem". O que lhe deve ter parecido incompleto, pois acrescentou: "Às vezes tenho lumbago".

Deitado no chão, tamborilava nervosamente o estômago. Seu mal-estar estava estampado ao longo de todo o corpo que mantinha um contato mínimo com o solo. Retesados, os músculos posteriores das pernas deixavam um espaço atrás dos joelhos. Das nádegas aos ombros, ele só encostava o sacro e as omoplatas. Fiquei admirada com a posição da cabeça: o queixo voltado para o teto, a nuca em semicírculo. Pedi-lhe para rodar a cabeça da direita para a esquerda, da esquerda para a direita, procurando sentir o peso da cabeça no chão. Tempo perdido. Não conseguiu mexê-la, nem sentir-lhe o peso. "Está vazia", disse-me. Para fazer qualquer movimento, sua cabeça tinha que se levantar. O movimento parecia doloroso, a tal ponto os músculos do maxilar e da nuca estavam contraídos.

Pedi-lhe que esticasse os braços e estirasse os dedos. Sentiu imediatamente formigamentos insuportáveis nas mãos. Pedi-lhe que abanasse os ombros. Não se mexiam, apesar de ele fazer grandes esforços. "São de pau", comentou. Contou que fora educado numa família onde as crianças eram proibidas de encolher os ombros.

Trabalhamos lentamente, por muito tempo, os ombros. B. fechava os olhos; com o rosto sério, procurava fazer uma viagem de volta no tempo. Deu um sorriso, quando, ao terminar a sessão, pedi-lhe que mexesse os ombros. Apesar de muito tênue, ele percebeu a diferença. "Agora parece que meus ombros estão lubrificados", disse.

Foi o primeiro passo de um longo trabalho, no qual B., que no início só tinha consciência de um mal-estar geral e de um lumbago ocasional, descobriu, através de movimentos precisos, que o corpo inteiro estava endurecido, insensível. Quis até procurar saber quais eram os motivos disso.

Durante uma sessão individual, enquanto juntos observávamos quão reduzidos eram os movimentos de seus braços (no sentido de afastá-los do corpo) devido à retração dos peitorais, B. contou-me que sempre tivera vergonha de ter um tórax estreito. Só usava paletós com enchimentos nos ombros. Uma vez, ainda jovem, passou uma manhã inteira na beira de uma piscina, sob um sol de rachar, sem tirar o paletó de *tweed*, apesar de todos insistirem com ele para se pôr à vontade. Apaixonado pela moça que morava nesse palacete, não queria que ela lhe visse os ombros.

Desde que tomou consciência de como era tenso, não soube mais como manter a cabeça. Não lhe era possível conservar a rigidez de outrora, mas estava ainda longe de chegar à naturalidade. "Tenho a impressão de estar sentado entre duas cadeiras", dizia. Quanto ao formigamento das mãos, atribuía essa manifestação nervosa ao fato de querer esconder-se por ser obrigado a usá-las, de elas atraírem a atenção dos outros sobre ele, com os movimentos que faziam no ar. Quando podiam ficar paradas, ele deixava de pensar nelas. Mas, quando precisava usar essas extensões, elas formigavam em forma de protesto.

É verdade que a tomada de consciência é um primeiro passo para o bem-estar, mas que não confere, de imediato, conforto. O trabalho pode ser longo e penoso. "O prazer e a alegria de viver são impensáveis sem luta, sem experiência dolorosa e sem conflitos desagradáveis consigo mesmo", dizia Reich[2]. O trabalho com B. ainda não terminou, mas, como ele afirma, "na vida, estou cada vez menos 'fazendo de conta'".

No meu trabalho, não procuro interpretar o comportamento ou as descobertas do outro. E é importante que ele não conte comigo para dar interpretações. Acontece, porém, que meus alunos contam que, depois de terem começado a morar no próprio corpo, sentem-se prontos para iniciar uma psicanálise. Outros, já em análise, anunciam às vezes que tomaram uma decisão; ou que a análise, há meses emperrada, vai terminar.

Seja como for, a existência simultânea de distúrbios psíquicos e físicos na pessoa é inegável. Mas cabe a cada um, a seu modo, descobrir essa ligação. Só posso mostrar uma das vias: a consciência do próprio corpo.

---

2. W. Reich, *op. cit.*, p. 160.

Como nos sentimos mal, procuramos proteger-nos pelas aparências; também nos protegemos ficando em casa. Como não nos sentimos "em casa" no nosso corpo, valemo-nos de um quadro familiar para nos abrigarmos. Quem não conhece pessoas "seguras de si mesmas", contanto que possam atender no próprio escritório, atrás da sua mesa de trabalho; pessoas que "são a alma da festa", contanto que a festa seja em sua casa.

Acontece com freqüência, para quem vem fazer, pela primeira vez, um trabalho corporal, custar bastante ter que vestir uma roupa estranha, ficar descalço, deitar no chão, estar numa sala desconhecida. Um dos exemplos mais dramáticos foi o de um diplomata de certa idade, muito educado e extremamente elegante. Vestiu o *short* imaculado de ginástica, deitou-se no chão e, imediatamente acometido de náuseas, só teve tempo de sair correndo para o banheiro. Depois, telefonou-me várias vezes para dizer que não tinha coragem de voltar e que contava com minha compreensão. Também parecia querer que eu lhe explicasse seu comportamento. Mas a quem ele precisava fazer perguntas era ao próprio corpo, através do trabalho que, justamente, estava sem coragem de empreender.

A educação que recebemos, os entraves que desde cedo nos impomos para nos poupar dor e prazer não são os únicos obstáculos ao desenvolvimento de nossas percepções. O meio ambiente contemporâneo, a arquitetura *standard*, também desempenham um papel opressivo. Trabalhando o dia e o ano inteiro à luz artificial, não podemos contar com a rotação do Sol, que confere pontos de referência temporais. Além disso, já que a luz não circula e muito menos a sombra, o corpo não é mais modelado pelo contínuo e natural jogo de claro-escuro. Nosso relevo, terceira dimensão e presença no espaço são achatados, reduzidos. A luz artificial e sempre idêntica apaga-nos, esmaga-nos. Rouba-nos ainda outra prova da existência: nossa sombra. Quanto ao movimento natural do corpo em direção ao Sol, é suprimido. Com o tropismo atrofiado, perdemos uma parte do "natural", da vida vegetal e animal.

Atravessar um vasto *hall*, onde todos os objetos nos ultrapassam em tamanho, faz com que nos sintamos diminuídos e com a confiança abalada. Como esse espaço foi concebido com a finalidade de acelerar o movimento da multidão, a pessoa sozinha não se sente bem nele; vê-se obrigada a modificar o próprio ritmo nesse espaço estruturado como local de passagem que desemboca numa escada ou num elevador.

A exigência de rentabilidade dos prédios modernos faz com que as escadas se situem na coluna central do edifício. Ao subir, não temos pois nenhuma vista do exterior, nenhum jeito de nos situarmos no espaço. Ficamos literalmente desnorteados. Sem norte nem sul. Se a escada é circular, os degraus com tamanho e distância regulares, nosso olhar, avançando, não sabe nos informar se estamos chegando aos últimos degraus. É quase inevitável que tateemos com o pé ou que tropecemos antes de chegar ao patamar. E essa incerteza ou "falta de jeito" condicionam negativamente nosso comportamento durante a entrevista que tivermos.

Os elevadores perturbam nossos pontos de referência espaciais, assim como, por causa da irritação da parede vestibular, alteram a percepção que temos do peso do corpo e da relação entre cabeça e corpo. As impressões são complexas; mas, resumindo, ao começar a subida, as pernas parecem mais pesadas. No momento da parada, temos a impressão de que o corpo continua a subir antes de descer. A impressão de leveza no momento da parada é seguida da impressão de que o corpo esticou, como se a substância pesada interna se soltasse dos pés e quisesse sair pelo alto. Na descida, o corpo parece não só mais leve como mais comprido, como se uma parte da cabeça não acompanhasse o movimento e ficasse no mesmo lugar. O essencial é que, no elevador, nossa unidade corporal é atacada e sofremos por isso um efeito psíquico desfavorável[3].

Locais alienadores, talvez concebidos no quadro de uma política de intimidação, não deixam de ser o lugar onde temos que viver. E, apesar de tudo, queremos viver plenamente. A solução não consistirá em considerar o corpo como lugar primeiro e primordial de nossa vida? Morar antes de mais nada no próprio corpo, saber organizar-lhe os movimentos, do interior, confere-nos ao menos a possibilidade de nos libertarmos da intimidação dos espaços organizados para fins sociais. Sentir-se bem no próprio corpo não será, sobretudo, poder sentir-se, admitir, perceber e desenvolver as próprias sensações?

Pôr-se em forma para as férias

O esporte: uma panacéia. Se não o praticamos, sentimo-nos culpados e decidimos que vamos começar em breve. Enquanto o praticamos, sentimo-nos talvez jovens, fortes, em forma. Se, depois, ficamos todos doídos, explicamos que foi por não estarmos bem preparados ou não o praticarmos com freqüência. Não vamos procurar mais a fundo a explicação do mal-estar... com medo talvez de encontrá-la.

Numa época em que o esporte tornou-se assunto relevante, é preciso saber contestá-lo. Nenhuma prática esportiva beneficia a totalidade do corpo..., exceto o andar a pé. Não, não estou me esquecendo da natação, esporte considerado "completo" e até terapêutico. Quanto ao esporte nacional francês, que atinge o paroxismo com o *tour de France*, podemos dizer que

---

3. Uma descrição elaborada dessas sensações encontra-se em *L'image du corps*, de Paul Schilder (trad. de François Gantheret e Paule Truffert), Paris, Gallimard, 1968.

tem um lado simpático, evidentes vantagens ecológicas... mas que é francamente nocivo à saúde!

Falemos primeiro da natação.

Há pouco tempo, recebi a visita de um amigo americano, titular de uma cadeira de antropologia, apaixonado por expressão corporal, especialista em *kinesics*, a nova ciência de análise da linguagem corporal.

"– Olha aqui, disse-me, pegando na barriga. No entanto nado uma hora por dia na piscina universitária. E não é de brincadeira. É com tempo cronometrado.

– Você se sente bem?

– Muito bem. Não estou doente.

– Ombros, nuca, plantas dos pés?

– Estou lhe dizendo, tudo vai bem.

– Nenhuma tensão nos músculos?

– Tensão! Mas você não está vendo como meu estômago estufa! Vai me dizer que está tenso.

– Você vai ter que admitir uma tensão que até agora não percebeu.

– Mas eu já lhe disse...

– A do maxilar. Se os músculos da mastigação não estivessem em estado de tensão seu maxilar estaria caído e aberto, não é? A essa tensão "natural" da qual você não tem consciência, acrescentou-se no correr dos anos uma infinidade de outras tensões também ignoradas. Olhe o jeito dos seus braços."

Ainda há pouco entrara com o balanceado descontraído dos braços, tipicamente americano. E agora, parado, a rigidez dos ombros e braços – conservados bem longe do corpo – parecia a de qualquer soldado apresentando-se ao oficial superior.

Expliquei-lhe isso. Começou a protestar. Pedi-lhe que juntasse os pés, que se inclinasse para a frente, cabeça para baixo, braços soltos. Faltavam quase 50 centímetros para alcançar o chão.

"– Você está vendo, é o estômago que não deixa...
– Nada disso..."
Ele começou a transpirar. As pernas tremiam. Nas costas, como era de se prever, os músculos estavam duros como pedra. Levantou-se ofegante: "– Mas garanto-lhe que nado diariamente durante uma hora e contra o relógio.
– E contra você. Essas sessões de autocompetição são contrárias ao seu bem-estar. A água é um maravilhoso elemento de jogo. Acalma, descansa, carrega-nos e nos faz esquecer o peso do corpo e até mesmo as preocupações. Pode-se dizer que ela tem o poder de "dissolver" a rigidez. Mas, se você a transformar em campo de batalha, sempre acaba perdendo.
– Isso é poesia, disse zangado.
– Então vamos falar de anatomia. Na água, adoramos a posição da cobra que, para se movimentar, só usa os músculos espinais (que se inserem na coluna vertebral). Você já olhou os nadadores profissionais? Embaixo de cada braço há uma massa muscular parecida em certos casos com uma asa de morcego. É a massa do grande dorsal. Nos nadadores, esse músculo está às vezes tão contraído, que empurra a ponta da omoplata para fora, fazendo uma saliência no tórax quando o braço está erguido.
– Bravos pela aula de anatomia, retrucou. E daí?
– Daí, todos os movimentos de natação – nado de peito, *crawl*, nado de costas – requerem o grande dorsal e os músculos espinais. Mas, se *antes* de aprenderem esses movimentos os músculos não estiverem bem alongados, bem elásticos – e é o que quase sempre acontece – a natação faz com que eles se contraiam e fiquem ainda mais curtos. Aliás, como todos os outros músculos vertebrais. Quando nada, portanto, você exercita os músculos posteriores, justamente os que não têm necessidade e que, pelo contrário, já são superdesenvolvidos em quase todos nós. E, quando os músculos posteriores são super-

desenvolvidos, os anteriores só podem ser subdesenvolvidos. E isso, meu caro, não é nem poesia nem política; mas, sim, verdade anatômica da qual posso dar-lhe inúmeras provas, se você decidir começar um trabalho corporal.

– Você quer dizer que a natação em vez de resolver meu problema de barriga está fazendo-o piorar?

– É isso mesmo."

Sugeri-lhe que não forçasse mais o corpo a fazer movimentos tradicionais e em velocidade de competição. A primeira providência a ser tomada consistia em soltar a musculatura posterior, para dar ao corpo a possibilidade de encontrar uma distribuição mais justa de suas forças. Depois, seria preciso entregar o corpo à água, atento às sensações que iria ter. Pois é através daquilo que o corpo sabe naturalmente – antes de qualquer aprendizagem – que o cérebro aprende. Quanto à velocidade, à beleza de gestos, virão por si mesmas; você não tem necessidade de relógio para saber se está contente consigo mesmo.

Reich considerava a bicicleta como um infeliz instrumento de masturbação. Mas há acusações mais graves... e vamos fazê-las já. *A bicicleta não tem nenhuma das virtudes terapêuticas que lhe são atribuídas.* Para andar de bicicleta sem ficar prejudicado, seria preciso ter-se um corpo excepcionalmente equilibrado e robusto. Por quê? Porque a gente não pedala com as pernas, mas com *as costas*.

Basta olhar um ciclista de perfil. Com a nuca arqueada (ele precisa levantar a cabeça para ver aonde vai), as costas encurvadas, ele faz funcionar os músculos da região lombar..., músculos já bem contraídos e incessantemente solicitados por todos os movimentos cotidianos. Por outro lado, a barriga está completamente solta. (Se está duvidando, experimente você mesmo e verifique. Não adianta invocar a altura do guidão ou da sela: isso não modifica em nada o mecanismo do movimento.)

Assim, andando de bicicleta, você faz funcionar os músculos posteriores que já são demasiado duros e torna ainda mais moles os músculos da frente. Resultado: por um lado, retração dos músculos da nuca e dos "rins" e, por outro, perda de tonicidade dos abdominais, com compressão do estômago que pode acarretar distúrbios digestivos (freqüentes nos ciclistas profissionais). Se você insistir (sempre para seu bem), acabará adquirindo também crispações nos punhos e mãos.

Aliás, quase sem exceção, esportistas (e dançarinos) deformam o corpo, às vezes de forma monstruosa, porque dele só têm uma consciência parcial. Por não conhecerem a interdependência dos músculos e seus antagonistas, por não saberem usar os músculos mais apropriados ao esforço, vão retirando forças de onde podem. Forçam-se e forçosamente machucam-se. Forçar-se, ultrapassar-se, é aliás a habitual regra do jogo. Seja para ganhar do rival, seja para bater seu próprio recorde, "lutar", para o esportista, significa quase sempre punir-se.

O que se pode fazer? Se até os campeões não conseguem resolver... A solução não é acabar com o esporte; mas, sim, começar do começo, começar com o corpo e não com o esporte. É *antes* de praticar um esporte que é preciso adquirir inteligência muscular, sensorial, respiratória, sabendo usá-la diariamente e não apenas nas férias. Em vez de fechar-se dentro de gestos transmitidos, de aceitar o adestramento, é preciso deixar ao corpo e ao cérebro a possibilidade de inventar os movimentos apropriados. Desse modo, você vai descobrir uma aptidão a todos os esportes que não o abandonará desde a juventude até a hora da morte. Em qualquer atividade, o corpo vai obedecer-lhe... sem depois "reclamar". "Quanto mais fraco for o corpo, mais ele manda; quanto mais forte for, mais obedece", dizia Jean-Jacques Rousseau.

Recentemente, eu observava um grupo de esquiadores desembarcando na estação de esqui. Com as costas encurvadas, o pescoço enterrado nos ombros, os joelhos se esbarrando a cada passo, ou com um andar de "pata choca" para evitar que os joelhos esbarrassem... Diante de tais vícios de forma no simples andar, fiquei me perguntando como iam conseguir equilíbrio na hora de descer a pista.

Aliás, nem sempre conseguem. Mas, às vezes, sim. Não o verdadeiro equilíbrio, mas um equilíbrio desarmônico, precário, que custa caro a todo o organismo, porque é feito de múltiplas compensações musculares. São justamente esses esquiadores – que conseguem atingir grande velocidade e realizar provas clássicas – que, mais tarde, sofrerão muito de cansaço e de rigidez dolorosa. Coisas aliás consideradas normais. Ficarão até orgulhosos com a dor que vai lhes parecer um recibo por tanta energia gasta.

E, quando as contrações musculares definitivamente instaladas trouxerem dores vertebrais e articulares "crônicas", eles nem vão desconfiar da procedência. Dirão que ficaram doentes. Mas a gente não fica doente; a gente vai ficando aos poucos, durante anos de abuso e inconsciência.

"Pratiquei 19 esportes", proclamou com ar de desafio uma senhora de cinqüenta anos. Parecia que ela vinha me procurar para acrescentar uma vigésima especialidade à panóplia. "Tenho artrose na nuca, explicou-me. É da idade."

Não a contrariei, mas pedi que se deitasse de costas. As costelas empoladas davam pena. A caixa torácica estava endurecida, como se não conseguisse expirar o excesso de ar que havia sido forçada a inspirar durante a vida toda. Os pés rígidos como os de uma estátua; o queixo espetado no ar parecia ter-se fixado na atitude de quem se ultrapassa a si mesmo. Pedi-lhe para afastar o quinto dedo do pé. Nada. Pedi que afastasse cada dedo do pé, um do outro. Não conseguiu mexer nada. Pareciam dedos postiços.

Desconcertada e desconfiada, perguntou que diferença fazia se ela conseguisse ou não mover os dedos (é verdade que esses movimentozinhos parecem não ter importância). Expliquei-lhe que a partir dessa "paralisia" dos dedos do pé – sobretudo quando o 5º e o 1º não conseguem afastar-se do eixo do pé – podemos verificar a rigidez e a deformidade da perna. A partir daí, podemos subir por todo o corpo, pois uma coisa é ligada à outra. A nuca é responsável pela perna; a perna, pelo pé. Agindo sobre o pé, estaremos agindo sobre a nuca.

A esportista sentou-se e, com as pernas esticadas no chão, olhou para os pés, como se os visse pela primeira vez. Acho que nesse instante compreendeu muita coisa de um corpo que, sem perceber, usara mal. Ousei dizer-lhe que estava enganada ao atribuir a artrose da nuca à idade: nunca é o tempo a causa do enrijecimento; mas, sim, o uso inadequado do corpo. Propus-lhe um trabalho lento e regular, através do qual ela pudesse ficar à vontade e assim não procurasse forçar o corpo a obedecer-lhe. Pareceu bastante abalada e ficou de telefonar mais tarde para resolver o assunto.

Nunca mais a vi. Recomendou-me a vários jovens atletas que vieram procurar-me; mas, pelo jeito, ela mesma não teve coragem de questionar o corpo, nem a própria vida. Às vezes, quando me lembro dela, penso que foi pena: nunca é tarde demais para oferecer ao próprio corpo um descanso. Exige uma certa humildade, mas a gente é altamente recompensada pela alegria do movimento que se tornou correto, pelo renascimento das sensações, pelo corpo que se vê enfim livre para viver a vida de verdade.

"Qualquer distúrbio da capacidade de sentir plenamente o próprio corpo corrói a confiança de si, como também a unidade do sentimento corporal; e cria, ao mesmo tempo, a necessidade de compensação", observou com exatidão Wilhelm Reich[4].

---

4. W. Reich, *op. cit.*, p. 277.

Para compensar a incapacidade de sentir o próprio corpo, para diluir o mal-estar por vezes inconsciente que se desprende das zonas mortas, alguns recorrem à imitação. Eis por que vemos uns estereótipos de gestos esportivos, que são a mera imitação mais ou menos parecida de determinado campeão. Trata-se, nesse caso, do adestramento do corpo e não da tomada de consciência de movimentos que o próprio indivíduo teria encontrado e amadurecido através do uso, tanto do cérebro quanto dos músculos.

Mas que satisfação se obtém ao imitar os "maiorais"? Será apenas a seqüência daquela que consiste em vestir-se de esquiador? De óculos escuros, segurando os bastões e calçando esquis, a imagem que temos de nós se engrandece, fica mais bela e até mais profunda.

Aliás, seja a raquete de tênis, o taco de golfe ou o florete, cada objeto nos prolonga e faz com que nossos gestos se prolonguem no espaço. (Mas, se juntamos um objeto rígido a um braço sem flexibilidade, só conseguimos prolongar nossa rigidez.) Quando pelo gesto imitamos alguém, tornamo-nos, durante o tempo da imitação, o outro, além de nós mesmos. E depois? Assim que tiramos os esquis e abandonamos a pose, ficamos sós... com as costas doídas. E tristes, com o sentimento de decepção que experimenta o artista no camarim, ao tirar roupa e maquilagem, no fim da última representação da temporada.

O disfarce, a imitação, também os impomos a nossos filhos. Com o intuito de ajudar, muitas vezes os atrapalhamos, pois não percebemos o corpo deles melhor do que o nosso. Reconhecemos mal a autêntica linguagem corporal da criança – principalmente quando se trata de nossos filhos – porque não sabemos decifrar as mensagens de nosso corpo. Censuramos nossos gestos e atitudes e recusamo-nos a vê-los no outro e sobretudo em nossos *doubles*. Não exigimos das crianças que sejam fiéis a si mesmas, mas sim à imagem que escolhemos para elas e que lhes impomos.

Se essa imagem fosse fixa, ficaríamos felizes, pois vivemos dizendo à criança: "Fique quieto". Mas, para a criança, mexer-se é necessidade tão fundamental quanto comer ou dormir. Disso depende também seu desenvolvimento físico e intelectual. Pois o movimento, antes de tornar-se automatismo, exige coordenações neuromusculares e intensa atividade cerebral. É por isso que "a agitação" da criança é a busca não apenas do mundo exterior, mas também de suas próprias possibilidades[5]. Quando punimos a atividade física da criança, reduzimos-lhe o campo de experiência, entravamos o desenvolvimento de sua inteligência e a estimulamos a reprimir a expressão natural de suas emoções. Oferecendo ao imitador genial que é a criança o exemplo de movimentos reduzidos ou rígidos, ensinamo-la a entorpecer suas sensações e a encaminhamos para o desajeitamento e a desconfiança, que lhe será difícil largar quando adulta.

Esperamos com impaciência que nossos filhos saibam exprimir-se verbalmente; encorajamo-los a falar como adultos, porque assim podem proteger-nos da verdade bruta que continuamente tentam exprimir pelo corpo. Sossegamos quando, enfim, conseguem como nós fazer da expressão verbal um véu que esconde os verdadeiros desejos, que modifica os impulsos naturais, que domina as sensações. "Fale comigo. Diga o que há com você. Se você não falar, não consigo saber o que está errado", repetem os pais enquanto o filho emite sinais corporais de perigo que lhes são imperceptíveis.

---

5. Por vezes, entretanto, a perpétua agitação das crianças que "não param" não significa curiosidade irreprimível nem instabilidade de caráter; mas pode tratar-se de uma pertinaz contração da musculatura posterior, da qual, mesmo sem ter consciência, a criança procura libertar-se. O comportamento corporal determinado pela rigidez da musculatura posterior será explorado mais a fundo no capítulo seguinte.

Colette observou isso com crianças na praia. Os tempos mudaram; o problema permanece. "Há uma ou outra criança viçosa, gorducha, bochechuda e bronzeada, de andar firme; mas, em compensação, quantos pequeninos parisienses, vítimas da rotineira crença materna: 'Ah! como o mar faz bem para as crianças!' Lá estão as coitadas, seminuas, com uma magreza nervosa, joelhos enormes, coxas de grilo, barriga saltada..., a pele sensível conseguiu escurecer, em um mês, ficando cor de charuto; mas é só, e isso chega. Os pais pensam que elas estão fortes: estão apenas tingidas. Conservam as olheiras fundas, o rosto murcho. A água corrosiva descasca-lhes as pernas feias; o sono é perturbado por uma espécie de febre cotidiana; o mínimo incidente provoca risos ou lágrimas frouxas, nesses infelizes que foram mergulhados em chá de fumo de rolo..."[6]

Ainda não foi criada a Secretaria Federal da Expressão Corporal; o que às vezes parece iminente. Em vez de fazer esporte ou ginástica, muitos correm para "a expressão corporal", disciplina ambígua que se situa numa zona entre a dança interpretativa e o psicodrama.

Mas, se *a priori* não conhecemos o uso do corpo, se nosso repertório de gestos e movimentos só comporta uma fração das possibilidades de que o ser humano é capaz, se até agora só usamos o corpo para reduzir, trair ou negar nossas sensações, é evidente que "a expressão corporal", tanto quanto o esporte, não pode passar de imitação, compensação, adestramento. E percebemos por isso nos espetáculos ou nas aulas de expressão corporal uma espécie de "travesti", uma representação melodramática "requentada" de idéias recebidas e, pior ainda, de emoções recebidas. (Não será "recebida" antônimo de "vivida"?) Em vez de imitar campeões esportivos, imitamos atores, bailarinos ou personagens representadas em pintura ou escultura. Não, decididamente, a expressão corporal, praticada

---

6. Colette, *Les vrilles de la vigne*, Paris, Hachette, col. "Le livre de poche", p. 221.

por adultos que têm do corpo (e por conseguinte da vida) um conhecimento meramente superficial e rotineiro, não passa de blefe. Para fazer expressão corporal que valha a pena, é preciso primeiro tomar consciência das repressões corporais.

Quanto à nova ciência que procura interpretar a linguagem corporal ou a comunicação não-verbal, parece bastante difícil analisar o que querem dizer os gestos ou atitudes de um sujeito, se não se sabe primeiro do que é fisicamente capaz. Estar sentado com os joelhos, pés e palmas virados para dentro pode querer dizer, com efeito, que o sujeito recusa as propostas do interlocutor. Mas talvez sua atitude esteja apenas exprimindo uma extrema contração dos músculos posteriores, que não lhe permite ficar de outro jeito. Pode ser que, em qualquer situação, o sujeito esteja comunicando sempre a mesma coisa: a incapacidade de usar livremente o corpo que permaneceu demasiado enrijecido por muito tempo. Considerar a linguagem corporal sem levar em conta a linguagem verbal pode ser legítimo; mas, antes de mais nada, não será conveniente conhecer os limites do vocabulário muscular?

Antes de praticar esporte, *antes* de fazer expressão corporal, *antes* de interpretar os gestos do outro, *antes* de se considerar "fracassado" diante do comportamento dos próprios filhos, *antes* de empreender uma análise, *antes* de conformar-se com os problemas sexuais (falaremos disso mais adiante)..., há um trabalho preliminar a fazer: a tomada de consciência do corpo.

Como o pintor prepara a tela e o escultor, o barro, devemos preparar o corpo antes de usá-lo, antes de esperar dele "resultados satisfatórios". É o estado do corpo que, *a priori*, determina a riqueza das experiências vividas. O corpo lúcido toma iniciativas, não se contenta mais com receber, agüentar, "engolir". Ao tomar consciência do corpo, damos-lhe a ocasião de comandar a vida.

Françoise Mézières: uma revolução

As experiências profissionais que acabo de contar por pouco não me escaparam. Quase no fim do curso, fiquei prestes a largar tudo, convencida de que me havia enganado de direção. O que eu queria fazer era um trabalho como o de Suze L. e da sra. Ehrenfried, ou seja, essencialmente, ajudar o sujeito a despertar as sensações corporais reprimidas, adormecidas, reencontrar-lhe a sua unidade e, assim, o bem-estar, a saúde. Mas, do essencial, não se falava mais.

Eu andava à volta com um programa cuja finalidade louvável era de ensinar, em três anos, o máximo de técnicas reconhecidas e comprovadas, que se aplicavam ao trabalho do terapeuta. Constantemente nos alertavam para o fato de não ultrapassar nossos limites. Eis por que aprendíamos anatomia, segmento por segmento... até o pescoço. A cabeça, justamente, ultrapassava os limites de nosso trabalho; então, por prudência, deixavam-nos na ignorância. *Primum non nocere*, é claro. Mas eu achava que, se não havia risco de prejudicar, também não havia possibilidade de curar. A não ser que se tratasse de alguém sem cabeça.

Quanto à minha cabeça, tinha a impressão de que era um grande fichário onde eu classificava conhecimentos 1. anatômicos, 2. fisiológicos, 3. patológicos; quer dizer, nomes, ângulos e medidas de cada deformação. De acordo com esses conhecimentos, tinha que aceitar como perfeitamente normal que, por exemplo, uma belíssima jovem sorridente, confiante, entrasse na sala de reeducação por causa de uma dor na nuca e saísse arrasada, oficialmente doente, com a etiqueta de portadora de "cervicalgia" e uma receita para vinte sessões de meia hora, durante as quais seria obrigada a levantar com a cabeça, umas trezentas vezes, um saco de areia pesando meio quilo.

Ao entrar nessa sala de reeducação, ela tinha deixado o reino das pessoas saudáveis para ingressar no dos doentes, sendo reduzida a um sujeito a ser manipulado ou, ainda menos, a uma nuca a ser manipulada. Algo em mim reagia contra essa redução, contra essa submissão. Mas onde se situava a fronteira entre saúde e doença e como deixar de atravessá-la? Como evitar escorregar nessa armadilha? Eu não sabia. Sabia apenas que a gente não pode deixar-se reduzir a um nome de doença; que não pode deixar-se classificar no fichário patológico – sob pena de nele ficar para sempre – nem mesmo com a etiqueta de "ex-portador de cervicalgia", verdadeira espada de Dâmocles.

Mas não me sobrava tempo para refletir sobre isso tudo. Estava ocupada demais com a preparação das provas, com estágios em hospitais onde aprendia a enganchar as polias no lugar certo quando se tratava de mecanoterapia, onde remexia panelas cheias de cataplasmas, onde encorajava os doentes com lombalgia que faziam caretas de dor ao pedalar nas mesas de massagem, tentando tornar a barriga mais firme. Quando tinha muita sorte, conseguia entrever o catedrático no corredor, na hora da visita médica; às vezes me esgueirava por trás de sua "escolta" no quarto de um "caso" e, espichando-me ao máximo, chegava a ouvir uns pedaços de frases que lhe caíam dos lábios.

E um dia, por ter sido aluna bem conscienciosa, fui convidada a assistir a uma demonstração normalmente reservada aos que já haviam concluído o curso. Foi depois dessa honraria que, desorientada de todo, compreendi não poder aceitar nem o trabalho de terapeuta tal como é concebido tradicionalmente, nem a visão do doente como se se tratasse de uma "nãopessoa", como se fosse um pedaço de corpo.

O sujeito da demonstração era uma máquina impressionante pelas dimensões e pelo número de manivelas, correias, mostradores. Demos uma volta olhando tudo isso; depois recuamos e esperamos num silêncio respeitoso. Uma enfermeira entrou na sala trazendo pelo braço um menino entre sete a oito anos. À guisa de apresentação, disse: "Escoliose dorsal direita, lombar esquerda, angulação 'X' graus". Nem nome, nem sobrenome e muito menos apelido: só um nome de doença. Foi então que a monitora o segurou pelos ombros e nos mostrou o menino de costas, de perfil, de frente, indicando as deformações com um instrumento metálico que segurava com a ponta dos dedos. Mas não me lembro de quase nada do corpo desse menino. O que me impressionou foram os olhos dele, grandes, castanhos, arregalados com medo. E tinham do quê.

Depois de apresentado aos estagiários, "escoliose dorsal direita, lombar esquerda", o menino voltou às mãos da enfermeira, que lhe enfiou pela cabeça um "tubo" de *jersey* branco para segurar-lhe os cabelos, e outro no tórax. Assim fantasiado, foi deitado na máquina e amarrado pela cabeça, ombros, cintura e pernas.

O grau de desvio de sua coluna vertebral já havia sido medido. Era preciso agora regular a máquina em função dessas medidas. Eu só conseguia pensar na máquina que Kafka descreve em *La colonie pénitentiaire*, que era ajustada de modo a poder gravar no corpo do culpado que nela estava deitado a sentença: "Respeita teu superior". Devíamos forçar o corpo do menino a obedecer à advertência da máquina: "Fique reto"?

A máquina começou a funcionar. Ela puxava – com um barulho seco de pêndulo lento – o corpo do menino. Movimento de manivela: a máquina parou só um instante para que os números fossem verificados. Depois foi posta de novo em movimento. Parada. Verificação. Funcionamento. Parada. Verificação. Até que os números indicaram que o trabalho tinha sido efetuado. Todas as atenções estavam voltadas para a máquina. A criança só recebia algumas ordens: não se mexa, não chore, a fim de não atrapalhar o trabalho da máquina. Quando, enfim, soluçando um choro contido, tremendo, o menino foi tirado da máquina, enfiaram-no imediatamente num colete feito para manter as retificações obtidas.

Saí da sala também tremendo, convencida da inutilidade e da crueldade dos métodos que buscara aprender com tanto esforço. Sabia que a demonstração que acabara de assistir era particularmente dramática, mas não deixava de ser representativa do desprezo pelo ser humano, da confiança nos tratamentos mecânicos, cuja eficácia só pode ser passageira. Sentia-me impotente diante da autoridade, achando que a única alternativa era não aceitar a cumplicidade. Para isso, devia abandonar o curso. Foi aí que uma senhora alta, com um hábito de irmã missionária, que também havia assistido à demonstração, falou comigo.

"– Infernal, não é? Felizmente há outra coisa.
– Como?
– Felizmente existe o método Mézières.
– Nunca ouvi falar.
– Lógico que não. Não é na escola que vão lhe ensinar isso. O método de Françoise Mézières está em perfeita contradição com tudo o que se aprende aqui. É o oposto de todas as idéias sobre saúde e doença, de todas as técnicas oficiais entronizadas. Aceitar Françoise Mézières significa recusar as bases da ginástica clássica tal como é praticada atualmente. Dizer 'sim' ao método Mézières é dizer 'sim' à revolução. Por aí você vê que...

– Mas, se o método tem valor...
– Isso é que é o pior. Ninguém, nenhum especialista, conseguiu refutar-lhe a descoberta e o método conseqüente. Os que se deram ao trabalho de ler o que ela escreveu, tiraram-lhe o chapéu com uma mão e, com a outra, bateram-lhe a porta na cara. É bem grave. Sintomático não apenas da situação atual da medicina, mas do modo como nossa vida é regida por aqueles que, em qualquer domínio, detêm o poder. Hoje os únicos que podem usar o método Mézières, os únicos para quem ele é 'rentável', são os chamados incuráveis, doentes cujo estado foi agravado por tratamentos inadequados, repressivos, desumanos. Em geral, os únicos médicos que aceitam o método são alguns homeopatas e profissionais da acupuntura, verdadeiros 'rebeldes', que acham mais importante respeitar o corpo humano do que o corpo médico.
– Como é então que a gente pode fazer?
– Françoise Mézières está aceitando alguns alunos – só profissionais – a quem explica o método. Por isso, o melhor é você terminar o curso e, se, depois, continuar interessada, pode ir falar com ela."

Foi o que fiz. E agora, por vários motivos, faço questão de descrever em termos simples no que consiste o trabalho dela, coisa que até então só foi feita para um público profissional.

Fica evidente para todos os que procuraram aprender esse método que ele produz resultados espetaculares e duráveis, seja na correção de fealdades consideradas normais, seja na cura de deformações acentuadas. Estou dizendo cura. Eliminar a causa da deformação e não simplesmente atenuar-lhe provisoriamente os efeitos.

"Não se deve tolerar o fracasso", afirma Françoise Mézières.

Mas por que a descoberta que ela fez há vinte e cinco anos e o conseqüente método que nunca parou de aprofundar e aperfeiçoar continuam ignorados tanto do público quanto da grande maioria dos terapeutas? Porque incluí-los nos programas tradicionais significaria que estes seriam derrubados, exigiria uma total revisão tanto dos programas como da visão do ser humano sobre a qual se apóiam. Mas para ver ou rever é preciso abrir os olhos; é preciso ter coragem de observar o corpo como totalidade, mesmo se essa observação contradiz verdades sacrossantas. E é exatamente isso que as "autoridades", os especialistas, não estão dispostos a fazer. Então, a única esperança de que um maior número de pessoas possa aproveitar o trabalho de Françoise Mézières é através da informação direta dessa descoberta que qualquer pessoa – até mesmo um profissional – pode verificar com os próprios olhos, com a experiência do próprio corpo.

Vou apresentar-lhes portanto uma técnica revolucionária... e também uma pessoa. Considerada "genial" pelos amigos, "louca genial" pelos oponentes, ela, tanto quanto seu método, é original, coerente, precisa.

Mas vamos começar do começo... Depois de obter o diploma, matriculei-me no estágio de verão de Françoise Mézières. Depois de ter feito dez horas de estrada, o caminho foi ficando cada vez mais estreito, as casas mais raras e pobres, os semblantes mais fechados. Entre o oceano e o pântano do Poitou, havia o céu branco, imenso, a terra plana, charcos e depois o caminho acabava: o fim do mundo ou o limiar?

Na beira da lagoa, a casa grande, baixa; no jardim, uma pessoa trabalhando a terra. Uma cabeça tão branca quanto o céu se ergue. Olhos claros; um olhar que olha. "Foi difícil de achar?" Voz grave, rouca. Se as árvores falassem, teriam esse tom de voz.

O relato de minhas dificuldades provoca-lhe uma risada viva. Levanta-se e estende-me a mão suave, firme, os dedos unidos prolongando a curva da palma: mão feita para amassar a terra, mão de oleiro.

"Você chegou na toca do urso." De fato, nunca na minha vida vira alguém andar com a leveza desta criatura de sessenta e três anos.

Do outro lado da casa, alguns carros com chapas de todas as regiões da França, Suíça e Bélgica. Somos dez estagiários – todos especialistas em ginástica sob orientação médica – que vão trabalhar aqui durante um mês.

Eis-nos reunidos numa grande sala térrea. Completamente vazia. Nem máquinas, nem aparelhos especiais. Nem mesmo mesa de massagens. Só um tapetinho. Meio surpresos, meio desconfiados, ainda vamos ficar mais desconcertados com o que vamos ver e ouvir.

Françoise Mézières coloca-se no meio da sala e convida-nos a sentar no chão em volta dela.

"– Vocês podem me dizer, por favor, qual a causa principal das deformações que costumam tratar?"

Bem, pelo menos algo de conhecido, tranqüilizador. Várias vozes dizem ao mesmo tempo: a gravidade. A fraqueza dos músculos posteriores. Reumatismo. Artrose. Artrite. Astenia. Descalcificação...

Françoise Mézières fixa-nos com o olhar claro.

"– Pois é, se há vinte e cinco anos me tivessem feito essa pergunta, eu teria respondido essas mesmas asneiras."

Na sala, o silêncio é pesado, carregado. Françoise Mézières continua: "– O ensino tradicional inibe. Aprendemos a medir com a ajuda de fios de prumo, espirômetros; a diagnosticar e depois a tratar – servindo-nos de uma farta panóplia de máquinas engenhosas, coletes, goteiras de gesso – as deformações consideradas curáveis pelos métodos da kinesiterapia. Quanto aos que têm físicos ingratos, desproporcionados, desengonçados, temos que considerá-los como normais, seja porque são "classificáveis" entre os tipos morfológicos aceitos, seja porque a feiúra não figura na lista oficial das doenças. Quanto às deformações que, devido à extrema rigidez, são chamadas "fixas" apesar de continuarem a se agravar, devemos confiá-las à Dona Cirurgia ou abandoná-las a seu triste destino.

Para mim, o olhar não deve deter-se em cada detalhe defeituoso. Não devemos fechar os olhos à realidade para obrigá-la a moldar-se aos conceitos acadêmicos. É preciso olhar principalmente para a morfologia perfeita a fim de sermos guiados apenas pela elegância da forma."

O espanto palpável de todos não chega a quebrar o silêncio.

"– Vou pedir-lhes algo de novo. Que observem. Que apalpem com as mãos e não com instrumentos. E depois que, em vez de acreditar no que leram, acreditem no que perceberam."

A fim de estimular nossa capacidade de observação, pediu-nos que considerássemos em primeiro lugar a "verdade sacrossanta" da força de gravidade que, achamos, nos puxa para a frente e à qual resistimos graças à ação intensa dos músculos das costas. Todos os nossos males viriam pois dessa forte ação que os "fracos" músculos posteriores são obrigados a exercer para sustentar a coluna vertebral, a fim de nos impedir de cair para a frente. Fortificar esses músculos para ajudá-los a realizar tarefa tão primordial seria, pois, uma das funções mais importantes de nosso trabalho.

"– Em resumo, não foi isso que vocês todos aprenderam?"

Cabeças assentem. Depois continua o silêncio desconfiado.

"– Para começar, só uma perguntinha. Por que esta famosa força de gravidade nos puxa mais para a frente do que para trás?"

Ninguém responde.

"– Fiquem de pé e coloquem-se na posição que costumam chamar de 'vertical', mas que é simplesmente a de bípede. Isso. Como é que nos equilibramos? Tentem observar-se. Talvez percebam de novo o que vocês devem ter descoberto, quando conseguiram ficar de pé pela primeira vez."

Foi observando o movimento do meu corpo que percebi que conseguia me equilibrar se deslocasse o peso do corpo. Eu mantinha a cabeça e a barriga para a frente e os rins arqueados para trás. Pois, com efeito, tratava-se não só de não cair para a frente como também de não cair para trás!

O deslocamento das massas do corpo – cabeça, barriga, costas – faz, porém, com que as curvas vertebrais se acentuem. A cabeça mantida para a frente obriga os músculos ligados às vértebras cervicais a se amontoarem e a manterem as vértebras num arco côncavo. É como quando se aperta um acordeão, de um lado: o outro escancara as dobras em semicírculo. O mesmo se verifica com os músculos inferiores das costas em relação às vértebras lombares. E essa curva e achatamento da musculatura posterior – que é o preço de nosso eqüilíbrio – só tendem a agravar-se com o correr dos anos.

A questão não está absolutamente na insuficiência da musculatura posterior, *mas no seu excesso de força*. Não se trata portanto de "fortificar" os músculos das costas, que já estão contraídos demais; nem de ajudá-los a sustentar melhor as vértebras. Pelo contrário. É preciso soltar os músculos posteriores para que eles libertem as vértebras mantidas num arco côncavo[1].

Françoise Mézières explicou que não era só o esforço para ficar em equilíbrio que encurtava os músculos posteriores, mas também todos os movimentos de média e grande amplitude executados pelos braços e pernas, solidários da coluna vertebral. Toda vez que levantamos os braços acima dos ombros, toda vez que afastamos as pernas num ângulo superior a 45°, os músculos das costas encolhem. A retração, a contração dos músculos posteriores são sempre acompanhadas

---

[1]. A descrição precisa e completa dos princípios de Françoise Mézières encontra-se em suas publicações, destinadas aos profissionais. (Ver bibliografia.)

pela rotação interna dos membros como também pelo bloqueio do diafragma.

"– É pois contra essa retração que precisamos lutar, meus caros. Se depois de terem tomado consciência disso vocês continuarem a querer 'fortalecer' as costas dos pacientes, a torná-las mais rijas, é sinal de que são perigosos e irresponsáveis."

Mas o essencial de sua descoberta é que, ao tornarmos menos acentuada a curvatura de um segmento da coluna vertebral, deslocamos essa curvatura para outro segmento. Ao corrigirmos o arqueamento das vértebras lombares, provocamos o afundamento da nuca e vice-versa. Ao alongarmos qualquer músculo posterior, fazemos encurtar o conjunto dos músculos posteriores que se comportam como um único músculo, estendendo-se do crânio até a planta dos pés. Donde a veleidade do trabalho segmentado, que trata o corpo como se fosse um objeto industrial constituído de peças soltas. É absolutamente necessário considerar o corpo como uma totalidade e cuidar dele enquanto tal, levando em conta não uma multidão de sintomas, mas *a causa única* de todas as deformações: *o encolhimento da musculatura posterior, o que é efeito inevitável dos movimentos cotidianos do corpo*.

Ela nos comunicava essa conclusão com perfeita certeza, proveniente não do orgulho, mas de vinte e cinco anos de experiência profissional. Pois, desde que havia feito tal descoberta, nunca mais viu uma deformação cuja causa não fosse o excesso de contração da musculatura posterior. Aliás, nos dois anos seguintes à descoberta – que era o oposto de tudo que ela aprendera e ensinara anos a fio – tentou convencer-se de que o que havia observado era falso. Mas não era. Então só lhe restava criar um método de trabalho baseado não apenas na observação dos fatos, mas confirmado por profundos conhecimentos de anatomia, mecânica articular, neurologia; método irrefutável, rigoroso, que parece bastante simples, mas que é cheio de modulações e se adapta às necessidades particulares de cada doente. Método que lhe valeu a exclusão dos baluartes oficiais.

Enquanto ela nos explicava tudo isso, lembrei-me de que não é só o indivíduo que tem uma percepção parcial do corpo; também alguns especialistas em ginástica, médicos, cirurgiões, consideram o corpo humano segmento por segmento. Seria fruto apenas de uma formação profissional que lhes inibiu as percepções ou ainda o resultado do modo fragmentado como vivem o próprio corpo?

E a retração, que fatalmente se agrava com os anos, não teria, paralelamente com as deformações físicas que provoca, um efeito nefasto sobre o psiquismo do indivíduo? Sentir-se achatado, fisicamente diminuído, não é o oposto da sensação de plena realização? Sentir-se esmagado pela própria musculatura não dá a impressão de estar esmagado pela vida? Liberar-se não significa literalmente soltar a musculatura para poder atingir as dimensões a que aspiramos, que são as nossas? Não é melhor conseguir prolongar a imagem de si pela "elasticidade" dos músculos e gestos do que contar unicamente com o efeito provocado pela roupa e enfeites?

A voz de um estagiário interrompeu o que eu estava pensando.

"– Mas a senhora fala como se o corpo fosse feito só de músculos. E as deformações dos ossos, das articulações?"

Françoise Mézières explicou que, excetuando as fraturas e algumas deformações congênitas, os músculos são os responsáveis pelas deformações dos ossos e articulações. Encolhidos, os músculos posteriores repuxam os ossos sobre os quais estão inseridos e, com o tempo, fazem com que as superfícies articulares não reajam mais com a exata precisão que é necessária. A cartilagem que envolve as extremidades dos ossos fica desgastada.

Na medida em que os músculos são responsáveis pelo movimento dos segmentos, Françoise Mézières nos alertava para as radiografias que parecem mostrar uma articulação totalmente enrijecida e por isso condenada à cirurgia. Ora, enquanto houver um mínimo movimento possível e o doente sentir dor ao fazer esse movimento, as articulações – apesar das aparências – não estão "soldadas" e podem ser tratadas, se conseguirmos soltar as contrações dos músculos periféricos.

"O corpo não é feito só de músculos, mas são os músculos que determinam a forma do corpo."

Depois ela nos contou a história de uma velhinha que vivera na sua aldeia. Além da doença de Parkinson, sofria de várias complicações: o corpo vergado ao meio, a cabeça entortada, a velha dormia toda dobrada e há anos não se punha de pé. No dia em que morreu, Françoise Mézières foi à sua casa e viu a velhinha deitada na cama. Perfeitamente esticada!

"Depois da morte, os músculos tinham que largar os ossos e foi possível estendê-la sem dificuldade. Vocês sabem que no cemitério todos os esqueletos são parecidos."

Antes de comentar mais minuciosamente a raríssima faculdade que tem Françoise Mézières de ver com clareza e de não se deixar envolver por preconceitos, vou tentar apresentar alguns de seus conceitos de base, dentre os quais a busca de elegância das formas.

A morfologia perfeita

A ginástica clássica contenta-se em analisar e classificar os diferentes tipos de morfologia que são considerados constitucionais e, por isso, irreversíveis. Quer sejamos longilíneos, brevilíneos, redondos, chatos ou cúbicos, somos como somos. A estrutura imperfeita, se for comum, é considerada normal. A

Posêidon (Museu Nacional de Atenas). Foto Boudot-Lamottete.

beleza das justas proporções não será, assim como a saúde, um dom raramente concedido pela natureza ingrata? A beleza, por ser excepcional, seria pois anormal.

Françoise Mézières ensina que a morfologia não deveria ser a ciência da classificação das deformidades mas, sim, a arte de reconhecer a forma perfeita, única morfologia normal. Convenceu-nos a nunca aceitar um trabalho que não tenda a essa forma perfeita. Pois nem a gravidade da deformação do sujeito, nem a idade são impedimentos para se buscar alcançar essa forma. Para estupefação dos estagiários, ela declarou que nem o tipo morfológico, mesmo se hereditário, nem as deformações adquiridas (exceto fraturas e mutilações) são irreversíveis. Havia também constatado que o corpo das pessoas idosas (o mais velho de seus pacientes tinha oitenta e cinco anos) era mais maleável que o dos jovens, e que podia obter com elas resultados espantosos.

Françoise Mézières descreve o corpo normal como sendo aquele da escultura grega do período clássico. E por que não o dos hindus ou o da arte gótica francesa? A beleza não é uma idéia tão arbitrária e fugaz quanto a moda? A forma perfeita não é uma questão de gosto?

Françoise Mézières sustenta que a única morfologia normal é a que corresponde à relação das proporções entre as partes do corpo que caracterizam a arte grega do período clássico. Foi a única arte que representou o ser humano como *deveria ser...*, isto é, como poderia ser se realizasse seu potencial real. Se o corpo humano ficasse realizado, seria digno de um herói ou de uma divindade (a grande bailarina americana Martha Graham fala do "divino ser normal").

O artista grego não procurava exprimir contradições psicológicas, místicas ou políticas... mas antes de tudo a unidade corporal e moral; unidade não utópica, mas realizável, e para a qual todo mortal que tivesse respeito por si deveria tender. A célebre "serenidade", que marca as obras da época áurea grega, é a expressão da unidade atingida e da perfeita saúde física do sujeito, visto que para os gregos não podia haver beleza sem saúde. E não podia haver saúde sem a beleza das justas proporções.

Com as poucas indicações que vou fornecer-lhe, você poderá comparar o seu corpo com esta imagem normal e começar a compreender que os verdadeiros "defeitos" nem sempre são os que, até agora, lhe causaram preocupações.

De frente, clavículas, ombros, mamas, espaços entre braços e costelas devem ser simétricos e estar no mesmo nível.

De costas, a nuca deve ser longa e cheia (em vez de mostrar duas saliências verticais separando três goteiras paravertebrais). As omoplatas devem ser simétricas e não apresentar nenhum relevo. Os ombros e quadris também devem ser simétricos.

Em posição de flexão do tronco para a frente, com a cabeça largada e os pés juntos, a coluna deve ficar em convexidade total e regular; o eixo dos joelhos deve passar pela cabeça dos astrágalos (em vez de recuar para trás dos calcanhares). Os joelhos não devem apontar para dentro.

Você não deve sentir dificuldade em ficar de pé, os pés encostados do calcanhar à ponta do primeiro dedo. Nessa posição, o alto das coxas, o interior dos joelhos, a barriga das pernas e os ossos internos dos tornozelos (os maléolos) devem encostar-se.

O pé deve alargar-se do calcanhar à ponta dos dedos, que devem afastar-se e esticar-se no chão. As bordas laterais do pé devem ser retilíneas; a borda interna, encavada na arcada interna, que deve ser visível.

Qualquer desvio em relação a esta descrição indica uma deformação corporal. E toda deformação tem origem no excesso de força da musculatura posterior. Quando Françoise Mézières diz que "nós todos somos belos e bem feitos", ela quer dizer que somos todos perfectíveis... contanto que consigamos nos ver como um conjunto e que queiramos nos modelar pela morfologia perfeita que temos potencialmente.

Mas é tão freqüente ficarmos presos a um detalhe "que nos dá graça" e que não passa de deformação, que, com o tempo, tende a agravar-se! Um andar "sedutor" pode ser apenas resultado de uma deslocação do quadril; ombros mirrados que chegam a parecer asas de anjinhos; um olhar "diferente", porque a cabeça não está na posição certa; nádegas salientes, conseqüência de uma região lombar exageradamente arqueada..., esses encantos aparentes são o prenúncio de dores e infortúnios futuros. Só a beleza é garantia de saúde.

Às vezes reconhecemos que determinada parte do nosso corpo é feia, mas damos-lhe pouca importância se conseguimos escondê-la e se ela não causa dor constante. O pé é o exemplo por excelência. Françoise Mézières fala desses "horríveis pilões que são os pés dos ocidentais". Segundo ela, "não é possível conservar a morfologia perfeita do pé, se usamos sapatos que o apertam em vez de protegê-lo. Os sapatos deveriam respeitar o formato do pé e deixar aos dedos ampla liberdade de movimentos (mas a estética moderna não o permite; no entanto seria inconcebível uma estátua grega cujos pés fossem pontudos!). Por outro lado, como as arcadas são verdadeiras molas, o interior da sola deveria ser absolutamente reto pois é o pé que se adapta ao chão e não o chão ao pé; o sapato se adapta à forma do pé. Enfim, como o andar normal obriga a pisar no chão com a borda póstero-inferior do calcanhar, a perna conservando a posição de completa extensão, nem o mínimo salto deveria existir. Ora, não há um único modelo de calçado que corresponda a tais exigências"...

Mas quase sempre, quando temos consciência de certos aspectos feios do nosso corpo, só atacamos a parte que nos ofende. E o esforço que fazemos para corrigi-la é frustrado. Existem, por exemplo, muitas mulheres que passam a vida se queixando da forma de suas pernas. Elas têm culotes de celulite, alto das coxas meio pesado ou então as coxas formam um arco, deixando um túnel entre elas. Nenhum exercício ou tratamento local dá certo. Mas elas não sabem por quê.

De fato, esses defeitos são apenas o efeito da rotação interna dos joelhos que, por sua vez, resulta da rigidez de toda a musculatura posterior. É essa mesma rigidez que ocasiona a rotação interna dos ombros caídos para a frente e que, quando estamos de pé, faz com que as mãos pendam adiante das pernas. Na verdade, para uma posição correta, o dedo médio deve ficar na direção do meio da face externa da coxa.

Assim como a caída do ombro influi no cotovelo e na mão, a rotação interna do fêmur influi no joelho e no pé; é isso que determina, dependendo do caso, que haja pernas em forma de X ou de parênteses, pés chatos ou côncavos, varos ou valgos, e todas as deformações dos dedos do pé. "Para corrigir a feiúra, precisamos corrigir a rigidez."

Meio cético, um dos estagiários achou que tinha encontrado uma falha na teoria.

"– Tudo isso está muito bem, mas como é que a senhora explica o problema das pessoas hiperflexíveis? A hiperelasticidade também existe."

Françoise Mézières dá uma risadinha provocante.

"– A hiperelasticidade, meu caro, só existe no dicionário. Na vida real nunca houve ninguém flexível demais." Antes que o estagiário pudesse protestar, acrescentou: "Daqui a pouco, você terá uma prova disso."

Efetivamente, horas depois, Françoise Mézières recebeu em nossa presença uma moça de quinze anos. Diagnóstico do médico: hiperelasticidade com fraqueza dos ligamentos.

A moça nos mostra, rindo, os cotovelos que giram de maneira incrível. "– A turma na escola adora ver isto", diz ela. De pé, vista de perfil, parece que as pernas também escorregaram nas articulações. Os joelhos estão em recurvado, isto é, as rótulas parecem ter recuado, empurrando o joelho para trás.

Françoise Mézières pede à moça que se debruce para a frente. É com a maior facilidade que ela encosta as palmas da mão no chão. Até parece que ela poderia encostar os cotovelos. Mas a rotação interna dos joelhos é impressionante: as rótulas, em vez de apontarem para a frente, convergem.

Deita-se de costas e Françoise Mézières, ajudada por dois estagiários, procura esticar-lhe os músculos posteriores. É preciso muito esforço para conseguir a fixação dos joelhos. Os adutores, músculos que formam o lado interno da coxa até o joelho, estão retraídos e duros como cabos de aço. "– Detesto usar maiô por causa dessa curva entre as coxas", diz a moça.

Quando, enfim, conseguimos estirar-lhe os músculos posteriores e, por conseguinte, a fixação dos joelhos, percebemos que ela não consegue esticar o pé. A rigidez dos músculos posteriores da perna não o permite. Vamos encontrando rigidez em cima de rigidez. Onde está então o excesso de flexibilidade de que se havia falado?

Françoise Mézières explica que, se soubermos tirar as viseiras, a relação entre as formas do corpo aparece. Perceberemos que modificações do aspecto das regiões anteriores do corpo dependem das costas, que a parte superior depende da inferior e vice-versa. Se o organismo for tratado como um todo, acabaremos com gessos, coletes, solas, bem como com a coleção de pesos, polias e aparelhos que existem atualmente nos consultórios dos especialistas.

Enquanto ela mostrava a necessidade de empregar nesse trabalho toda a inteligência, capacidade de observação, as mãos e os próprios músculos, um estagiário cochichou para a colega: "– Desse jeito, você nunca vai amortizar o equipamento."

Françoise Mézières escutou. Parou a explicação para dizer:
"– Se vocês querem ganhar dinheiro, não contem com este método. É o tipo de trabalho em que a gente gasta tempo e esforço. Não se trata de um trabalho industrial. O que fazemos é longo e difícil, porque, mesmo que pareça que é apenas uma parte que precisa de tratamento, devemos cuidar do corpo como totalidade. É um trabalho que exige toda a atenção e força física, pois os músculos resistem. Eles também adquirem maus hábitos. E, além de tudo, é preciso ter muita força moral. Trabalhamos contra a maré de doutrinas e práticas errôneas, porém aceitas, que resistem a qualquer prova que lhes demonstre a inexatidão".

Explicou-nos que a finalidade do trabalho é tornar o indivíduo autônomo, dono de seu corpo. Mas, para conquistar essa independência, ele precisa tornar-se consciente da organização dos próprios movimentos. Precisa conhecer a si mesmo e aceitar a responsabilidade de conhecer-se melhor que a ninguém. Senão vai sempre procurar a autoridade fora de si: no médico, no remédio, no tratamento. Pode ser que ele até se revolte contra essas autoridades a quem conferiu o poder, que ele tente se libertar, mas não vai conseguir. Nunca mais o próprio corpo lhe pertencerá, se ele não se decidir a tomar posse dele.

"Nunca devemos querer dominar o corpo do outro, meus caros. Nosso único orgulho deveria ser o de libertá-lo."

O respeito pelo corpo humano, a vontade de fazer com que o outro descubra as próprias possibilidades, que se torne mais inteligente, mais independente: era a primeira vez que eu ouvia falar disso depois de três anos de estudos tradicionais. Mas afinal quem era essa mulher que falava com tanto entusiasmo de assuntos essenciais em que outros nunca tocaram?

Soube que ela nascera em Hanói, onde vivera até nove anos. Num meio burguês (seu pai era advogado adido à embaixada francesa), mas com um nível de vida principesco. Doze empregados encarregavam-se de todo o trabalho material: com nove anos, ela não sabia vestir-se nem tomar banho sozinha. Doentia, disléxica, vivia levando pitos da mãe, porque fazia tudo ao contrário, "como uma chinesa". Fazer tudo ao contrário, recusar o que era aceito, desejado pelo seu meio; será que, graças a essa capacidade, ela conseguiu elaborar seu método?

Mais tarde, quando estudei a acupuntura e as técnicas correlatas, compreendi que o único contexto em que o método de Françoise Mézières pode situar-se, é o oriental. Ao observar as pranchas dos "meridianos" ou trajetos de energia da medicina chinesa, fiquei admirada ao perceber que todos os meridianos de força (yang) situam-se na parte posterior do corpo, do crânio até a planta dos pés, e todos os meridianos passivos (yin) na parte anterior. Assim como no trabalho de Françoise Mézières, também na medicina chinesa o yang não deve prevalecer sobre o yin, e o corpo deve ser considerado como uma totalidade. Essa visão do corpo, cuja saúde depende da distribuição equilibrada da energia, é o oposto da perspectiva ocidental, na qual o corpo é compartimentado, cada "casa" ficando a cargo de um especialista diferente (inclusive a "casa" que falta).

Relembrei a primeira visão que tive dela, abaixada, mexendo no jardim. O trabalho que acabava de apresentar exigia tanta paciência, tanta humildade, quanto o trabalho da terra. É tão inútil tentar acelerar o ritmo das estações ou apressar o amadurecimento das frutas quanto forçar o corpo a realizar-se. E, assim como as sementes, o corpo – se foi bem preparado – tem uma vida subterrânea. Se, durante a sessão semanal de trabalho, o terapeuta soube orientar bem o corpo, preparar-lhe um novo terreno propício ao desenvolvimento, o corpo vai obedecer ao bom impulso e, sozinho, evolui naturalmente no sentido adequado. Salvo se a pessoa tem medo, se a responsabilidade da independência e da maturidade a amedronta a tal ponto, que ela mesma acaba sabotando seu progresso.

Mais tarde, quando lhe pediram para resumir o essencial do seu trabalho, Françoise Mézières usou uma outra comparação: "– Faço escultura com material humano".

Essa antropo-escultura, cujo único modelo é a forma normal, há vinte e cinco anos que ela a pratica para curar inúmeros doentes, dentre os quais os declarados "incuráveis" por especialistas cuja visão limita-se apenas ao segmento do corpo de que tratam.

Durante o estágio, assisti a uma sessão que Françoise Mézières assim descreveu: "– A senhora P., kinesiterapeuta, vem fazer um estágio para conhecer o método. Notamos que o rosto dela é um pouco parado e o olhar tem algo de esquisito. Fazemos no próprio corpo dela, como é de costume com cada estagiário, a demonstração dos princípios do método e constatamos que é com dificuldade que ela afasta do corpo o braço esquerdo. A senhora P. conta que, com efeito, teve um acidente de carro há dois anos. Levou pontos no rosto que lhe prejudicaram o campo visual. Apalpamos-lhe o pescoço: C2, C3 e C7 apresentam um desvio para a esquerda. Começamos a trabalhar bem suavemente o pescoço, e a reação (comum, depois de algumas sessões) surge imediatamente e bem violenta: frio, tremores, sono. Nós a deitamos e a cobrimos; ela adormece e, no fim da tarde, comunica-nos que tem a impressão de "estar vendo melhor". Pensamos que se tratava de ilusão provocada pela perturbação; os especialistas que consultara recentemente haviam declarado que a deterioração do seu campo visual era absolutamente irreversível.

Mas, depois de uma segunda aplicação do tratamento na semana seguinte, no qual as reações foram as mesmas, a senhora P. recuperou todo o campo visual[2]...".

---

2. F. Mézières, "Importance de la statique cervicale", *Cahiers de la méthode naturelle*, nº 51, 1972, p. 11.

Que significam essas reações, às vezes violentas, do corpo, durante ou após uma sessão de trabalho? Françoise Mézières explica que o método age principalmente sobre o simpático e o parassimpático, isto é, sobre os sistemas de autodefesa do corpo. Obrigada a abandonar os velhos hábitos, os reflexos, "a carcaça fica com medo". Fica literalmente tremendo; procura escapar pelo sono. Porque não conseguir mais reconhecer-se – por mais desagradável que seja a imagem habitual – assusta. O desconhecido, seja a morte, seja uma vida nova, choca-nos, faz-nos recuar.

"– E a ginástica respiratória?, perguntou um dia minha colega que acaba de terminar os estágios no hospital.

– É tão absurdo aprender a respirar como aprender a comandar a circulação do sangue, retrucou Françoise Mézières. A respiração não tem que ser educada; mas, sim, liberada. Se ela é defeituosa, é porque está sendo entravada. E está sendo entravada por causas estranhas à função respiratória. O que a entrava é o encolhimento dos músculos posteriores. O único tratamento indicado para a insuficiência respiratória será, portanto, o relaxamento desses músculos."

Explicou-nos que, apesar do diafragma fazer-se de vítima do arqueamento exagerado (lordose), ele é de fato cúmplice. Pois o diafragma é um dos músculos que se inserem nas vértebras lombares e contribui para fixar a lordose. Disse-nos para considerarmos o diafragma como a parede inferior da caixa torácica. Como acontece com o fundo de uma caixa qualquer, seu entortamento influi nas paredes e, inversamente, o entortamento das paredes opõe-se à correção das faces adjacentes[3].

---

3. O diafragma é um músculo fator de lordose pela inserção de seus pilares, fixos no corpo das 2ª e 3ª (e freqüentemente da 4ª) vértebras lombares, pela arcada do psoas, que se estende da apófise transversa da 12ª dorsal à da 2ª lombar. É um modo pouco comum de se considerar o diafragma, do qual, tradicionalmente, só se leva em conta a função respiratória.

"Todos os movimentos que se praticam na ginástica clássica – forçar a inspiração ou empurrar para trás a coluna a fim de 'abrir' a caixa torácica – só podem agravar o bloqueio do diafragma e a lordose. E isso ainda piora quando mandamos erguer os braços. Basta olhar a deselegância do tórax durante os exercícios: logo se vê que deles não se deve esperar nenhuma melhora. Aliás, todo movimento que enfeia a pessoa nunca poderá ser benéfico. Temos o senso inato da beleza, meus caros. Não o contrariem nunca; e muito menos em nome da ciência."

A dor oculta

As explicações de Françoise Mézières sucediam-se como num romance policial complexo. Éramos convidados a examinar bem de perto as aparentes evidências e constatávamos que, em vez de revelar, ocultavam a verdade. Assim percebíamos que um pé chato, por exemplo, não era o verdadeiro "culpado" que precisava ser corrigido, mas sim que esse pé era "vítima" do joelho virado para dentro, o qual, por sua vez, era vítima de uma deformação muscular das costas. Insistir na mera correção do pé seria, portanto, perpetuar a injustiça cometida pelas técnicas clássicas e deixar "em liberdade" as costas que, com o tempo, perpetrariam outros "crimes" contra o corpo.

Mas Françoise Mézières ia bem mais além. Recusava-se a atribuir à "Dona Natureza" as deselegâncias físicas, as atitudes esquisitas, as anciloses que só retêm a atenção dos especialistas quando já se tornaram acentuadas as deformações. (Pois leves alterações têm tendência a aumentar.) Ajudava-nos a procurar as motivações desses comportamentos corporais e a descobrir que, com efeito, elas estavam escondidas. Mas em vez de respeitar-lhes a clandestinidade, devíamos detectá-las e tratá-las, por mais invisíveis que fossem!

Foi assim que aprendemos que, além de movimentos e atitudes que nos defendem da dor e dos quais temos consciência, existem outros automatismos de defesa contra dores ocultas. Intuitivamente sabemos que tal parte do corpo, se for usada, vai doer, apesar de não termos a mínima lembrança de ter sentido dor aí.

Para defender-nos da dor oculta, adotamos atitudes que criam outras dores. E é destas últimas, de que sofremos conscientemente, que queremos nos livrar. Mas, na verdade, se queremos atacar a causa em vez do efeito, devemos localizar e tratar a dor oculta.

Dedução intelectual misteriosa demais para ser verossímil? Pensar assim é desconhecer Françoise Mézières, cujas descobertas resultam sempre de observações minuciosas e de experiências de tratamento real.

Eis um dos inúmeros casos descritos por Françoise Mézières em que "o culpado" era a dor oculta: "Uma moça sofre há onze anos de lombociatalgia aguda e nenhum tratamento (dos vários que tentou) deu certo, a tal ponto que seu caso foi decretado incurável. Mas, de três meses para cá, ela está de cama com uma crise aguda. Temos que tirar-lhe os sapatos e transportá-la até o tapete.

A posição em tensão (deitada de costas, com as pernas erguidas perpendicularmente ao corpo) causa-lhe fortes dores. A doente agita-se e repete sem parar: 'Dói, está doendo'. Percebemos que a cabeça se vira sempre para a direita. Peço, então, à acompanhante que segure as pernas da moça; apalpo-lhe o pescoço e descubro que a terceira e a sétima vértebras cervicais estão muito salientes do lado direito.

À medida que trabalho o pescoço, vejo que a doente se acalma e a acompanhante constata que as pernas que a empurravam com força, ficam mais leves. Tendo feito apenas isso, termino a sessão e marco a próxima para daí a duas semanas. Ela está muito admirada, pois consegue ficar de pé e calçar os sapatos sozinha. Dali a quinze dias, quando voltou, a doente andava normalmente[4]".

Mais tarde, quando tive meus próprios pacientes e alunos, um incidente dramático lembrou-me do trabalho de Françoise Mézières sobre a dor oculta e levou-me à conclusão de que sua descoberta poderia aplicar-se também à dor psíquica.

Certa vez, eu explicava a uma moça um exercício que consistia em pequenos movimentos do quadril. A intenção era revelar-lhe a flexibilidade possível da região pélvica; os movimentos suaves que faziam com que as pernas se afastassem e depois voltassem a se encontrar não podiam causar nenhuma dor.

Mas, de repente, ela soltou um grito de extrema dor. Encolheu-se toda, gemendo. Fiquei perplexa diante dessa reação que parecia "histérica", tanto mais que a moça sempre fora calma, atenta ao trabalho do corpo. Só costumava queixar-se de uma certa rigidez das pernas, e achava-se meio desengonçada apesar de seu belo porte.

Embrulhei-a num cobertor e esperei perto dela. Depois de muito tempo, levantou-se sem parecer sentir dor, pediu desculpas pela conduta que ela também não sabia explicar.

No dia seguinte, cedo, telefonou-me. Ao chegar a casa, depois da sessão, teve uma crise. Crise de choro. Tremores. Sufocação. Um episódio crucial da infância, tão doloroso que ela o havia reprimido totalmente, voltou-lhe intato à memória. E tudo isso por causa de um mero movimento do quadril!

Quando criança, ela morara numa casa grande no meio de um jardim cercado com uma grade de barras pontudas. Um dia, estava brincando com o filho do guarda do parque. Para exibir-se ou espicaçado por ela – ela já não sabia mais – o menino

---

4. F. Mézières, *op. cit.*, p. 8.

começou a subir na grade. Quando chegou em cima, escorregou. A ponta do ferro atravessou-lhe a coxa e o menino ficou lá empalado, sem poder descer, urrando de dor.

Quando os mais velhos chegaram, ela foi acusada de tê-lo instigado a essa proeza. A dor dele era pois culpa dela. O menino foi levado para o hospital. Ao voltar, não a deixaram brincar com ele. Ela o olhava de longe, sem coragem de chegar perto, nem de falar com ele. Depois o menino deixou de existir para ela. Esqueceu o incidente ou achou que tinha esquecido. Levou uma vida normal, não sentia nada, a não ser a tal rigidez das pernas.

Ao fazer os pequenos movimentos do quadril, ela mexeu pela primeira vez a parte do corpo que se tornara uma zona morta desde o incidente da grade. O grito que ela soltou era o mesmo do menino ferido. A dor oculta de que ela sofria, sem perceber, era a dor de outrem, mas por quem ela se sentia responsável.

Nas sessões seguintes, a moça fez rápidos progressos. Quadris e pernas soltaram-se e ela pôde, enfim, nadar, correr, dançar, fazer amor: prazeres que antes ela não se permitia com medo de despertar a dor oculta.

Durante o mês que passamos com Françoise Mézières, todas as idéias feitas que me haviam ensinado na escola foram postas abaixo. Insisto neste ponto: minhas idéias não foram simplesmente modificadas, sacudidas ou ampliadas; foram derrubadas, postas fora de uso. Compreendi que era impossível conciliar as idéias de Françoise Mézières com as que eu aprendera antes, impossível conciliar suas descobertas com as práticas tradicionais. O trabalho dela constituía uma verdadeira revolução que se opunha terminantemente à antiga ordem. Tal qual o corpo humano, esse trabalho é uma totalidade indivisível.

Mas, para poder apreciar de fato Françoise Mézières, é preciso vê-la trabalhar num corpo-a-corpo com o doente. Durante toda a sessão, ela vive com o corpo do outro. Ela o capta com o olhar. Absorve-o, concentrando-se. Adota seu ritmo respiratório. Se o doente se queixa de alguma dor, ela responde: "Eu sei; estou sentindo como você". Ela não se refere ao sofrimento moral, mas à dor dos próprios músculos que não soltam a presa, das mãos que não desistem nem diante da rigidez mais empedernida.

Sua relação com o outro deve ser chamada de "passional" pelo modo como Françoise Mézières parece saber exatamente o que o outro sente, pela forma como o outro tem confiança nela, mesmo nos momentos de dor forte e prolongada, e pela ambição que ela tem para ele – que seja belo e livre –, ambição que só se tem para aqueles a quem se ama.

·6·

Alicerces milenários

Você se esgota. A sua energia, não. Ela circula. Do instante da concepção até a morte. Segue seu trajeto natural através do labirinto hermético do corpo, até encontrar um obstáculo. Aí ela esbarra, interrompe o trajeto, muda de rumo e se dissipa. Você acha, então, que está exausto, que perdeu a energia. Mas você tem energia. Ela continua aí. Apenas você não deixa que ela o sirva do modo mais adequado ao seu bem-estar. Quando você a obriga a desviar-se, ela se volta contra você.

É portanto nossa energia que confere ao corpo a unidade e, ao mesmo tempo, anima todos os órgãos que também têm movimento. Já vimos que a tomada de consciência do corpo, como totalidade em que cada elemento depende do outro, é necessária ao equilíbrio e à saúde do ser. Convém agora ir mais além.

Convém lembrarmo-nos de uma realidade que as preocupações de nossa civilização nos fazem com freqüência desprezar. Convém tomar consciência da relação entre o Todo que é nosso corpo e o Todo que é o Universo; entre o movimento contínuo dos órgãos do corpo e o movimento da Terra e do Sol. Atualmente procuramos tanto progredir, que temos o olhar sempre dirigido para a frente. Interessamo-nos tanto pela especialização, que nosso campo visual tornou-se estreito. E se abríssemos os olhos para o que não "progride", se olhássemos os fenômenos imutáveis que nos cercam?

Observaríamos que o ritmo cósmico que regula os ciclos do Sol e da Lua, o dia e a noite, as estações, é o mesmo a que obedece o movimento de nossa energia vital. Observaríamos que o corpo, sem esperar pelo consentimento da "inteligência", reconhece as leis cósmicas e a elas se submete. E, quando compreendermos como nosso corpo vive a vida, talvez estejamos preparados para ajudá-lo a funcionar melhor, sabendo tratá-lo e mantê-lo através de métodos que levam em conta sua relação com a Natureza.

Muitas vezes é mais fácil para quem vive junto à Natureza perceber como o corpo faz parte dela. Minha avó, por exemplo, que era da montanha e a quem as mulheres da aldeia recorriam para os partos, sabia com antecedência em que noite ela ia ser chamada; bastava-lhe contar as mudanças de lua. Ensinou-me também que essas mudanças alteravam a regularidade dos ciclos ovarianos. Ela prestava bastante atenção para não semear os legumes de raiz durante a lua crescente e para não cortar o cabelo na lua minguante, se queria que crescessem depressa.

Os fisiologistas clássicos explicam que cada órgão recebe sua ração de energia segundo as horas do dia e segundo as estações. Não é por acaso que as crises de asma se manifestam quase sempre de madrugada: é lá pelas três horas da manhã que os pulmões estão no auge da atividade. Os ataques cardíacos são mais freqüentes ao meio-dia: hora energética máxima para o coração. O intestino grosso recebe a mais forte ração de energia entre cinco e sete horas da manhã, o que explica a normalidade de seu funcionamento matinal...

Recentes pesquisas indicam que a energia – que não tem nada de substância abstrata ou de conceito místico – é de fato uma realidade e, apesar de ser normalmente invisível a olho nu, pode ser fotografada. O trabalho do russo Kirlian dá a prova visual da existência de uma força energética que anima todo corpo – animal ou vegetal – vivo. Na fotografia, vemos essa energia como um halo de cores vivas na superfície do corpo, que faz lembrar a auréola que se costumava pintar em volta da cabeça dos santos. Chamado "aura", esse halo perde intensidade e muda de cor quando o organismo está doente. Outros pesquisadores constataram que os lugares do corpo humano que emitem a luz mais brilhante correspondem aos pontos usados desde sempre pelos que praticam a acupuntura.

Mas, mais precisamente, o que é que foi fotografado? De onde emana a luminosidade? Da superfície do organismo, da pele. Da pele?, pergunta você. Mas não há nada de mais banal, mais corriqueiro, que a pele. É verdade, mas a pele não serve apenas para envolver os órgãos internos; ela lhes oferece uma superfície contínua na qual circula a energia que os anima. Você insiste: a pele é a pele e os órgãos internos são os órgãos internos; não dá para confundir. Resposta: a confusão nasce justamente da visão parcial e separatista do corpo. A unidade corporal não se limita à consciência da interdependência da parte anterior e posterior do corpo. É preciso compreender também a relação que há entre o interior e o exterior do corpo. De fato, os órgãos internos se "projetam" na pele e podem ser tratados a partir da pele, através de técnicas baseadas numa medicina que tem mais de 5000 anos: a medicina chinesa.

Quando o ritmo natural da circulação de energia é perturbado – seja por uma causa interna, por exemplo, um excesso de alimentação; seja por uma causa externa, como uma súbita mudança climática –, o organismo sadio faz funcionar seu próprio sistema de regulação. Basta esperar que "isso passe". Mas pode acontecer que o sistema natural de regulação não dê conta, seja incapaz de se opor ao distúrbio. A energia fica então desviada, dispersa. Há excesso numas regiões e escassez noutras. O fluido energético não pode mais continuar o itinerário natural. Como se fossem comportas, os "pontos de acupuntura" situam-se ao longo desse itinerário e é pela regulação das comportas que a medicina chinesa garante a circulação normal de energia através de todo o corpo.

Mas como é que uma simples espetadela de agulha num ponto preciso da pele pode restabelecer a circulação interrompida? Porque a fronteira que nos une ao – ou separa do – cosmos é precisamente esse envelope: a nossa pele. É na superfície da pele que circula a energia e é na superfície da pele que se "projetam" nossos órgãos profundos: coração, pulmões, rins, fígado[1]...

Assim, por meio de uma matemática rigorosa, combinando dois ou três pontos da superfície da pele (existem quase 700), o acupuntor pode aliviar espetacularmente e curar órgãos doentes que ficam longe das agulhas. Aliás, para os grandes acupuntores, a elegância consiste em agir a distância e evitar um tratamento local por demais direto. E, ao contrário do que se pensa comumente, não é com muitas agulhas que se obtém o melhor resultado; a elegância consiste também em combinar os pontos, de forma a ter que colocar o mínimo possível.

Desde sempre a acupuntura foi a medicina preventiva por excelência. Os mandarins da antiga China pagavam o médico para que lhes conservasse a saúde e deixavam de pagar assim que ficavam doentes.

O trabalho com agulhas só pode ser feito por médicos que conheçam a acupuntura. Mas é possível tratar as desordens vertebrais e as contrações musculares (vimos com Mézières que tudo pode se resumir num problema de músculos) com massagens feitas nos pontos tratados pela acupuntura. Conhecida na França como *micro-massage* e nos Estados Unidos como *acupressure*, consiste em fazer massagens (de acordo com a

---

1. É claro que a energia também circula em zonas mais profundas, donde o fato de certos médicos usarem agulhas longas que podem atravessar o corpo.

tradição chinesa) com o polegar ou com o dorso da unha do dedo indicador dobrado.

Na medida em que os pontos que acompanham os dois lados da coluna vertebral são os mesmos que se referem às vísceras, o funcionamento interno do organismo melhora quando são tratados os distúrbios vertebrais. Pode acontecer também que, ao tratar a mão ou o braço, consigamos melhorar o funcionamento do intestino, do coração ou dos pulmões, cujos meridianos passam pela mão.

Com exceção de alguns pontos proibidos que nunca devem ser trabalhados, a massagem não é perigosa. É importante todavia nunca fazer massagens na pele recoberta de matéria gordurosa que age como isolante e torna o trabalho ineficaz; nem fazer massagens se há lesões na pele.

Há atualmente nos Estados Unidos inúmeros manuais de *acupressure* destinados ao público não profissional. Apesar de a micromassagem dar resultados espetaculares, ela exige um perfeito conhecimento da anatomia e uma extrema precisão na descoberta dos pontos que servem para atingir a raiz do mal e curar para sempre. No entanto, há algumas massagens que você mesmo pode fazer e obter pronto alívio, sem recorrer a nenhum remédio. É claro que vale sempre a pena consultar antes o médico.

Alguns pontos usados na micromassagem parecem provir de diversas tradições, aparentemente sem ligação com a China. Por exemplo, na França, na Idade Média, o "papa-defunto" – *le croque-mort* – mordia efetivamente o morto, isto é, mordia a ponta do 5º dedo do suposto cadáver para confirmar se a pessoa estava realmente morta. Ora, existe um ponto de reanimação justamente no ângulo da unha do 5º dedo, no meridiano do coração. Em Nova York, os construtores de arranha-céus preferem contratar os Iroqueses como pedreiros, porque não são sujeitos a tonturas. Acontece que, há gerações, todos os Iro-

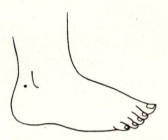

Choe Keou. Ponto de reanimação. Situa-se na base do nariz, acima do lábio superior. Segurar com força entre o polegar e o indicador. Muito eficiente em caso de síncope, essa massagem pode ajudar bastante, enquanto o médico não chega.

Kroun Loun. Ponto "aspirina" para aliviar qualquer dor, onde quer que ela se situe. Encontra-se na face externa do pé, acima do osso calcâneo entre o maléolo externo (osso do tornozelo) e o tendão de Aquiles. Fazer massagem com a unha.

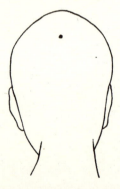

Paie Roe. Ponto para estimular a memória e a inteligência. Situa-se na fontanela que passa pela linha mediana do crânio. Fazer massagem com a extremidade do dedo. (Não é simples coincidência ser o mesmo "ponto de partida" da tonsura dos padres católicos, do chakra dos hindus superiores, e da trança pela qual os chineses deveriam ser puxados para o céu.)

Chao Chang. Ponto para tratar dores de garganta. Situa-se no canto inferior da unha do polegar (lado do indicador) de cada mão. Apoiar com a ponta da unha do índice. Em caso de início de angina, engolir a saliva, enquanto se apóia com a unha e repetir 2 ou 3 vezes durante o dia. A ser usado também no dentista nos momentos de dor aguda. (Não substitui, no entanto, a ida ao dentista.)

queses do sexo masculino são tatuados no mesmo lugar, em baixo do joelho, o que corresponde em acupuntura exatamente ao San Li: ponto essencial contra o cansaço, a impotência e, também, as vertigens.

Através dessas rápidas descrições da acupuntura e da micromassagem, pode-se ver como é possível desbloquear a energia e deixar que ela siga seu circuito natural por todos os órgãos do corpo, agindo não sobre os próprios órgãos, mas sobre as projeções deles no envelope do corpo.

Há outras técnicas, talvez ainda mais surpreendentes, em que os órgãos internos são projetados não sobre toda a superfície da pele, mas apenas sobre uma parte.

Contam que, certa vez, o Dr. Nogier recebeu um conhecido que bateu à porta dobrado em dois por um lumbago. Num gesto de reconforto e simpatia, beliscou-lhe amigavelmente a orelha e ficou espantado ao ver o homem erguer-se no mesmo instante, aliviado e sorridente.

Esse médico acabava de redescobrir um tratamento que existe desde a Antiguidade. A cauterização do pavilhão auricular para aliviar certas nevralgias era usada há mais de 2.000 anos. Não se tem certeza se a origem é chinesa, persa ou egípcia.

Desde que fez essa descoberta empírica há vinte anos, o Dr. Nogier desenvolveu a auriculoterapia, ajudado por uma longa série de observações e experiências e apoiando-se em dados neurofisiológicos. Não descreverei os detalhes dessa terapia que só pode ser praticada por médicos especialistas que aplicam agulhas nos pontos situados no pavilhão auricular. Chamo apenas a atenção para a semelhança entre a configuração da orelha e a do feto.

Compreende-se então que todas as projeções das partes do corpo estão invertidas: o que está na parte inferior da orelha corresponde ao que está na parte superior do corpo. A coluna

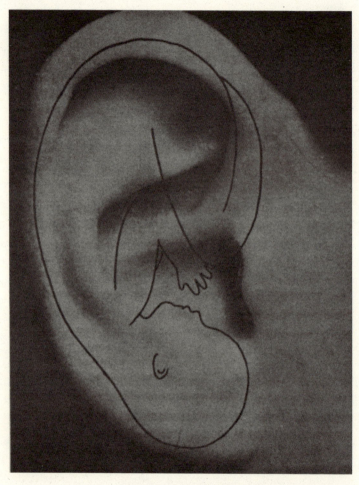

Foto Martin Fraudreau.

vertebral projeta-se ao longo da antélice; os pés, mãos e membros, fora dela; as vísceras, na concha do ouvido.

Pode ser ainda mais espantoso saber que todos os órgãos do corpo projetam-se também na pele da planta dos pés! E quem se interessa pela planta dos pés, a não ser que nela apareça um calo (sinal de que o peso do corpo está mal repartido e que a zona calosa protesta contra esse excesso de carga)?

Em vez de ser "objeto de constantes cuidados", o pé é quase sempre deixado de lado e até desprezado. Mas o desprezo que temos pelo pé talvez se transformasse em respeito, se considerássemos a planta como uma miniprojeção precisa e completa de todo o corpo. O pé é dividido por uma linha horizontal que corresponde à cintura. A colocação das projeções dos órgãos sobre a planta do pé é a réplica da colocação dos órgãos no corpo. O coração, que fica à esquerda do corpo, projeta-se no pé esquerdo; o fígado, que fica à direita, projeta-se no pé direito. (Podem-se encontrar nas palmas das mãos as mesmas projeções, mas, como as mãos são mais expostas, acabam ficando menos sensíveis.)

É evidente que, se você sofre de doença grave ou persistente, deve consultar o médico e não contar com tratamentos improvisados. Mas tratar através de massagens sobre as projeções dos órgãos nas plantas dos pés é um método cuja origem é tão antiga quanto a acupuntura e a micromassagem; e todos podem servir-se facilmente dessa técnica para aliviar certas dores mais comuns. Graças ao livro *Stories the Feet Can Tell* (Histórias que os pés podem contar), da massagista Eunice Ingham, essa técnica chamada "reflexologia" obteve imenso sucesso popular nos Estados Unidos. Atualmente enormes *posters*, à venda por toda a parte, representam a planta do pé e os órgãos nelas projetados; o título é: "Faça hoje massagem num amigo".

É possível fazer sozinho essas massagens; mas é melhor, com efeito, deitar-se, pôr-se à vontade, desabotoar a roupa muito justa e entregar-se a mãos amigas.

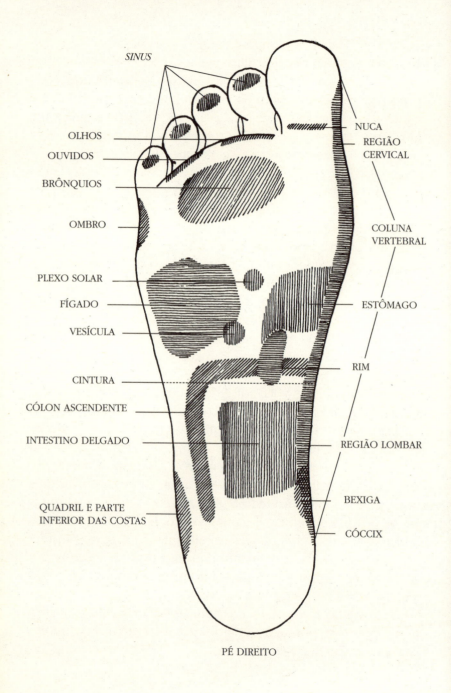

PÉ DIREITO

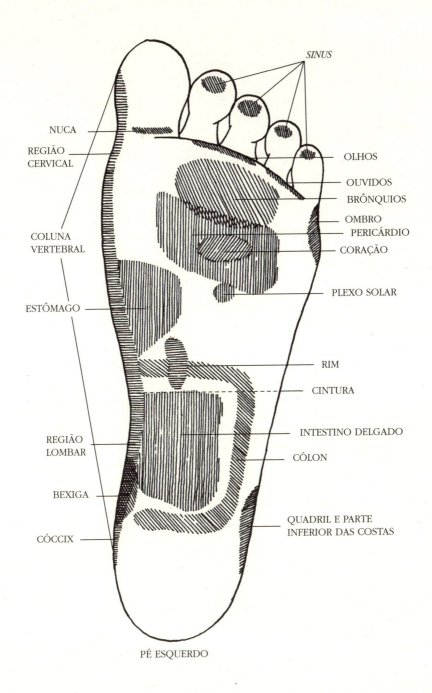

Para fazer o exame do seu corpo inteiro, basta um polegar. Trata-se de esfregar com a borda externa do polegar – sem usar a unha, mas com firmeza, horizontalmente, sem apoiar profundamente – a superfície dos pés para que nelas encontremos as zonas dolorosas onde parece formar-se, sob a pele, um depósito cristalino ou montinho de areia.

Essa massagem não é perigosa mas pode assim mesmo provocar reações. Fazê-la exaustivamente pode provocar diarréia ou um corrimento nasal, do gênero coriza. Ninguém sabe muito bem por quê. Mas pode ser que ativar muito a circulação do fluido energético provoque uma excessiva estimulação geral do organismo. Uma primeira massagem de exploração nos dois pés não deve, pois, exceder dez minutos. As massagens de tratamento devem ser feitas no máximo duas vezes por dia.

Comece pelo lado direito, pelo dedão do pé, continue para a zona dos *sinus*, olhos, orelhas, brônquios, pulmões, fígado. Cuidado com o fígado. Situado à direita do corpo, um pouco acima da cintura, é um importante reservatório de sangue, responsável por uma dúzia de funções vitais para o organismo. É freqüente que sua projeção no pé esteja dolorida, mesmo se o próprio fígado não manifesta dor. Uma de minhas pacientes fez diariamente e com muito entusiasmo massagens na zona do fígado; no quarto dia foi acometida de tal diarréia que não pôde sair de casa. É preciso dar tempo ao corpo para que se adapte à mudança; nunca forçá-lo, nem que seja "para o seu bem".

Você notará que a projeção da coluna vertebral reparte-se nos dois pés. É incrível como encontro sempre, ao longo da borda interna, a réplica de cada zona contraída, da nuca até o cóccix.

Quando você chegar à zona correspondente ao intestino, preste atenção para não fazer a massagem em sentido contrário, mas sim no sentido horário, de modo a não perturbar os movimentos peristálticos do tubo digestivo.

Eis por que, ao apoiar o polegar contra a planta do pé e provocando a sensação peculiar de ter um depósito cristalino sob a pele, você pode descobrir quais são as partes enfraquecidas do corpo, as seqüelas de doenças, as disfunções crônicas. Não apenas o estado atual do organismo pode "ser lido" no pé, mas também o seu futuro, pois é possível discernir uma dor que indique predisposição à determinada doença. Mas o diagnóstico pertence ao médico. Nada de diagnósticos leigos!

Aí está. Em algumas páginas, tentei dar-lhe, através de certas terapias muito antigas, uma nova visão do corpo. Espero que você experimente esses métodos e, mesmo se hoje lhe parecem inverossímeis, através de sua eficácia, você acabará convencido da verdade profunda que contêm. Porque não é só verdade que o corpo é uma unidade indivisível e inseparável da do cosmos, mas a tomada de consciência dessa verdade é indispensável ao equilíbrio e à saúde do corpo. Se proclamo essa certeza, é porque minha experiência profissional não me deixa dúvida e, portanto, nenhuma outra alternativa.

Chaves, fechaduras, portas blindadas

Telefonema de um velho amigo analista. Está para começar a análise de um cliente e gostaria que esse rapaz viesse me ver para um trabalho corporal. De que sofre o rapaz? De impotência, responde ele.

Meio embaraçada, pergunto-lhe se não está exagerando o poder do meu método. "É o que vamos ver, diz ele. Mantenha-me a par do que houver."

No dia seguinte, chega um rapaz de vinte anos, bronzeado, com um jeito de esportista, muito simpático. Ia dizer belo, mas algo me impede. É claro que ele havia consultado o médico da família: nada de anormal no nível do corpo. Então a coisa deveria ser na cabeça: é preciso fazer análise. Diante da evidência, ele encolhe os ombros. O movimento é bem reduzido. Os ombros parecem amarrados, puxados para a frente pela musculatura presa. Os braços ficam afastados do corpo. Peço-lhe que os erga. Não consegue levantar os braços acima dos ombros pois estão seguros pelos peitorais contraídos. A nuca está muito dura e ele tem dificuldade para virar a cabeça da direita para a esquerda. Mas há outra coisa. O olhar. É tão parado quanto a nuca. Os olhos não se mexem a não ser junto com a cabeça e a cabeça mexe-se pouco. Será que foi por isso que não consegui achá-lo bonito?

Não tendo a mínima idéia de como se trata a impotência, resolvo tratar do que sei e coloco o rapaz num dos grupos.

Durante as semanas seguintes, através dos movimentos, percebe-se quão desajeitada é a parte superior de seu corpo. Além de não conseguir mexer os olhos sem mexer a cabeça, de não poder virar a cabeça para a direita e os olhos para a esquerda, também não chega a erguer um ombro sem que o pescoço e a cabeça vão juntos..., a tal ponto que o movimento do ombro fica prejudicado! Assim, quando lhe peço para deitar no chão e erguer o ombro o mais alto que puder, usando para tanto todas as partes do corpo que forem necessárias, em vez de deixar a cabeça seguir livremente na mesma direção do ombro, ele a vira contra o ombro e o impede de erguer-se. Quanto à bacia, parece soldada. Não pode erguê-la do chão sem que o corpo, dos ombros até os joelhos, se erga também como uma tábua inteiriça, sem dobradiças.

Ficava sem jeito quando, no grupo, era hora de trabalhar a "parte inferior" do corpo; às vezes ficava parado, sem participar. Mas, completamente "sem complexos", era incansável quando se tratava de tornar flexível a "parte superior". Então, durante vários meses, ajudei-o a soltar os ombros, a nuca e a reencontrar o olhar. Foi lento mas pouco a pouco percebíamos, ele e eu, consideráveis progressos. Quanto à impotência, desde a primeira entrevista não se falava mais disso. Eu tinha até esquecido que era essa a razão de sua vinda; mas um dia o meu amigo analista telefonou de novo.

"– Parabéns.

– Como?

– Muito bem. M. está curado. Mas ainda não quis contar para você.

– M.? O moço que não tinha olhar?

– Não, o moço impotente. Mas conte-me o que é que você fez.

– Expliquei-lhe que a cabeça, o pescoço, os ombros e os braços dele estavam amarrados num arreio apertado que só ele podia desatar.
– Não estou entendendo."
Mas eu entendi. Imediatamente. O trabalho efetuado com esse rapaz correspondia perfeitamente a uma teoria que eu lera, mas que nunca havia posto em prática conscientemente. Assim eu tinha "escrito em prosa sem saber".
Disse ao meu amigo:
"– É a idéia de Reich. Em *La fonction de l'orgasme* e em *L'analyse caractérielle*. Você deve conhecer melhor do que eu.
– Wilhelm Reich? Ah, sim. Li já faz tempo. Mas não me diga que você fechou nosso amigo M. numa caixa de orgone?"
E, sempre dando risada, avisou que ia desligar porque o próximo cliente já tinha chegado.
Wilhelm Reich. Morto em 1957, numa prisão da Pensilvânia, nos Estados Unidos, onde o acusavam de charlatanismo; hoje suas teorias sobre a circulação da energia (que ele denominava correntes biovegetativas ou orgone) são consideradas como o correspondente dos circuitos traçados pelos pontos clássicos da acupuntura. Hoje a circulação de energia em qualquer corpo vivo – animal ou vegetal – é confirmada por provas neurofisiológicas incontestáveis.
Segundo Reich, entravamos a livre circulação da energia que passa por todo o nosso corpo ao criarmos "couraças" musculares, zonas rígidas, mortas, que nos encerram como anéis em diferentes níveis do corpo. Para nos defendermos de qualquer sensação, tanto de angústia quanto de prazer, bloqueamos a circulação da energia, como fez M., no nível dos olhos, da testa, dos ombros, do ventre ou do diafragma (como a maioria das pessoas que respiram superficialmente e não recebem oxigênio suficiente). Esses bloqueios, essas paradas, provocam doenças, mal-estar e toda a espécie de paralisias.

Mas nem sempre percebemos a relação entre doença e couraça, que pode estar situada longe da parte do corpo de que nos queixamos. Como no caso da dor oculta, descrita por Françoise Mézières, temos consciência de sofrer de algo, mas a origem desse sofrimento está noutra parte. Como sempre, trata-se de encontrar e de atacar a causa e não o efeito. Eis por que M. se queixava de impotência; porém o bloqueio (do qual ele não tinha a mínima consciência e que o analista, interessado apenas pelo que havia "dentro" da cabeça, também não havia percebido) situava-se a partir e acima dos ombros. Do momento em que sua energia, até então bloqueada na parte superior do corpo, foi liberada e pôde circular, a parte inferior deixou de ser prejudicada e o sintoma de impotência sexual desapareceu. Reich aliás afirma que "é impossível estabelecer uma motilidade vegetativa na pelve, antes de conseguir dissolver as inibições das partes superiores do corpo".

Foi graças ao caso de M. que constatei que os problemas sexuais não se tratam forçosamente no nível dos órgãos genitais, nem necessariamente pelo desvendamento do Inconsciente através de meios fragmentados como palavras, lembranças e símbolos. O primeiro passo para a solução de problemas tão complexos consiste talvez apenas em tomar consciência do corpo em sua totalidade. Pois, que o nome seja orgone, corrente vegetativa ou yin-yang, é preciso não esquecer que em todo corpo vivo, bem ou mal, circula uma energia e que, ao impedi-la, sofremos, de algum modo, as conseqüências.

A partir dessa experiência "acidental" com M., compreendi que o trabalho de Reich podia servir-me através do método Mézières. Porque as descobertas de Françoise Mézières – que só conhecia Reich de longe e pouco se interessava por ele – confirmam e aprofundam algumas de suas teorias. Graças ao perfeito conhecimento do corpo humano, Françoise Mézières soube compreender e dar provas anatômicas de que nossas fraquezas e deformações são provenientes da má distribuição de nossa energia e que os bloqueios manifestados na parte anterior do corpo são causados por um excesso de força da musculatura posterior.

Quando Françoise Mézières diz que somos feios, desajeitados e doentes, porque andamos arqueados para trás e com a barriga empinada para a frente, ela está descrevendo a posição de defesa que é, para Reich, o contrário exato da atitude livre e natural necessária ao orgasmo. (Defender-se não é exatamente o oposto de entregar-se?) A posição da minhoca, do coelho, por exemplo, ou do embrião, isto é, uma curva contínua para a frente, onde a boca se aproxima do ânus, posição flexível, possível só quando as couraças são abandonadas (e quando a musculatura posterior está solta), é a única que, segundo Reich, permite a livre circulação da energia e o movimento ondulatório do orgasmo. Françoise Mézières faz uma descrição equivalente, quando evoca o corpo sadio e flexível descansando numa rede.

Tempos depois tive a oportunidade de curar "sem querer" um caso de impotência, servindo-me do método Mézières. Um senhor de cinqüenta anos queixava-se de dores de barriga. Sentia-se "roído por dentro" como se uma doença desconhecida e mortal lhe provocasse na frente do corpo um "grande buraco". Ele me havia sido encaminhado para "reeducação muscular da cintura abdominal". Dava para passar dois polegares entre os retos abdominais (músculos que se inserem no esterno e nas costelas e descem verticalmente até o púbis). As costas todas estavam contraídas e doíam ao mínimo toque.

Na verdade, o "grande buraco" era bem maior do que ele pensava. Começava no esterno e continuava até o chão, pois a rigidez posterior das pernas não deixava que elas se encostassem, conservando-as sempre afastadas. (Mas isso ele não tinha notado!)

No fim de um ano de tratamento pelo método Mézières, os músculos dorsais e ísquio-tibiais começaram a soltar-se e a "doença misteriosa" ia desaparecendo. O grande buraco na frente do corpo ia-se preenchendo aos poucos. Um dia, cumprimentei-o pelos progressos. Corou até as orelhas e cochichou: "E não é só isso. Imagine que depois de cinco anos 'encontrei de novo' minha mulher". Olhou-me atentamente para ver se eu compreendera. Suas palavras não me surpreendiam nada, pois os dorsais tinham-se tornado mais elásticos e os adutores das pernas estavam livres. A pele das costas tornara-se mais lisa e vigorosa, a barriga mais firme, assim como a face dianteira das coxas. E por que não os órgãos genitais?

E as mulheres? Com o problema confessado, negado, crônico, ocasional, presumido, assumido, individual, universal, o "falso problema", no qual as mulheres se exprimem verdadeira e profundamente: a frigidez.

Mulheres marcadas com a etiqueta de "frígidas" me foram enviadas por médicos, ginecologistas ou psicanalistas. Já que "a ginástica não pode fazer mal e sempre ajuda a distrair, a ocupar, a gastar energia". (Será que algum dia vão compreender que eu não tenho nada a ver com a ginástica?)

Mulheres que com certeza devem ser o que se continua a chamar de frígidas, apesar de elas não se queixarem abertamente (pelo menos para mim), encontro-as todos os dias nos grupos, na rua, nas reuniões, em toda parte.

Mas o que têm todas essas mulheres? Em que consiste essa famosa frigidez? A frigidez, em poucas palavras, é a rigidez. Essas mulheres não são frias, elas são hirtas.

Não, não estou sendo grosseira. Não é falta de compaixão ou de compreensão. Não estou querendo ser simplista. Nem sendo desleal. Sou feminista e preconizo a mobilização das mulheres. Mas não apenas em células militantes. Preconizo a mobilização – a movimentação – de cada corpo de mulher. Pois só no interior do próprio corpo, do corpo em movimento, vivo, é que se pode encontrar a força, a possibilidade de ser feliz.

A mulher que hoje proclama "meu corpo me pertence" pode estar enganada. Não é porque seu corpo não pertence mais ao homem – ao macho opressor – que passa a ser dela. Dizer "meu corpo me pertence" supõe que, através da tomada de consciência do corpo, a mulher chegou a tomar posse dele. Para que o corpo seja dela, é preciso que ela conheça seus desejos e possibilidades, e tenha a coragem de vivê-los. Só quando uma mulher (ou um homem) vive é que pode recusar que os outros "vivam por ela". Só quando a gente se conhece profundamente é que se recusa a "ser conhecida" e procura, enfim, conhecer o outro.

Hoje em dia, quando uma mulher acha que é frígida, abandona às vezes o parceiro, que lhe parece ser a causa de sua insatisfação, e reclama o que se costuma chamar de "liberdade sexual". Procura homens mais sensíveis ou com mais imaginação, ou então outras mulheres, e pensa que através deles vai descobrir seu verdadeiro corpo.

Às vezes essa mudança é eficaz. Com efeito, era o outro que a impedia de revelar-se. Mas isso é raro. Quase sempre, mais cedo ou mais tarde, ela se acha diante do mesmo problema. Ela continua a não viver porque ainda não vive o corpo. A escolha do novo parceiro não foi feita com ampla liberdade e em função de seus verdadeiros gostos. Não sabe do que gosta; uma coisa é certa: ela não gosta do próprio corpo. Insatisfeita e não sabendo como satisfazer-se, ela se acha "forçada" sem perceber que é ela própria quem se força.

O que acontece quando um ginecologista me manda uma mulher que se queixa de frigidez e que não apresenta nenhum sintoma fisiológico: nem vaginite, nem qualquer obstrução?

Eu a incluo num grupo para que ela não se sinta isolada, só, com um problema obsessivo, vergonhoso, e para que descubra, pelo movimento, como ela vive ou, antes, como não vive no próprio corpo.

Quando ela se deita de costas, no chão, uma das primeiras coisas que observo na mulher chamada frígida é que o seu movimento de costelas é quase imperceptível. Ela não respira. O diafragma está rígido, imóvel, amarrado nas costas e estático na frente. Parece que há anos ela não o usa. Não procura receber o oxigênio necessário para produzir energia suficiente. Através do corpo, sua energiazinha é mínima e circula tão pouco, que ela costuma dizer que não tem energia ou que não tem a dose normal. Como se a energia viesse do exterior e fosse insuficiente. Mas a energia somos nós que a produzimos; o oxigênio, elemento combustível necessário à sua produção, não é recebido por nós. Temos que buscá-lo. Como o prazer.

Lembro-me sempre da resposta da sra. Ehrenfried a uma moça que se queixava de frigidez e perguntava o que podia fazer. A sra. Ehrenfried ergueu ironicamente a testa e expirando lentamente disse: "Res...pi...re..."

Segundo Reich: "A expiração profunda produz espontaneamente a atitude de abandono (sexual)"[1]. Aliás, qualquer um pode fazer essa experiência a qualquer momento. Expire profunda e lentamente; a região pélvica começa a mexer-se para a frente... se você admitir que tem região pélvica e que ela é móvel.

Mas voltemos ao grupo e à mulher frígida deitada de costas. Peço a todos que dobrem os joelhos e coloquem os pés apoiados no chão. Em seguida que balancem a bacia para a frente e para o alto. A mulher frígida fica toda atrapalhada. Como M., o rapaz sem olhar, ela concentra toda a força, empurra os pés e levanta o corpo inteiro desde as omoplatas. Se for muito ambiciosa, levanta-o desde os ombros, desde a cabeça. E a bacia? Fi-

---

1. W. Reich, *op. cit.*, p. 260.

ca lá suspensa, rija, mais ou menos no meio dessa tábua comprida que ela chama de corpo.

Começamos de novo. Deitados de costas, os joelhos dobrados, os pés no chão. Peço que vão com calma, que procurem – apalpando, se for preciso – a bacia. Onde começa? Onde acaba? Onde ela se liga ao conjunto do corpo, através de músculos e ossos? Como se articula? Fico esperando. Vejo que se mexem um pouco, que há expressões de perplexidade, grandes esforços de concentração. Peço que balancem a bacia, só a bacia, para a frente.

A mulher frígida não se mexe. A bacia dela não se move independentemente das coxas ou do abdômen. Não só não vai para a frente, mas ainda recua! As costas estão arqueadas, a pelve contraída recusa qualquer movimento para a frente e para o alto. A atitude natural do orgasmo, a curva contínua para a frente, movimento ondulatório que aproxima cabeça e púbis, ela não consegue fazer, não sabe que pode fazê-lo, recusa-se a fazê-lo. A bacia não quer ser preenchida. Pelo contrário. Não é de admirar que ela se ache "vazia". Que não esteja plena.

Mexer a bacia da direita para a esquerda e da esquerda para a direita, isso ela sabe. Ela faz assim quando anda e, às vezes, de modo bem exagerado, "como no cinema". Ela sabe que rebolar é bem feminino, sensual, e que as costas arqueadas com as nádegas salientes chamam a atenção. Gosta de ser olhada. Receber o olhar do outro. Sempre receber. Mas ser apenas receptáculo não é viver, não é viver uma vida de mulher. E, quando percebe que não vive uma verdadeira vida de mulher, diz que é frígida. Mas eu digo que ela é rígida, hirta, contraída, retraída, fugidia e, em certo sentido, reacionária. Digo que poder articular uma "frígida" não adianta nada, se ela não sabe que a bacia está articulada, que essa bacia, abrigo de órgãos genitais variados e *potentes*, pode avançar em busca do prazer que se quer ter.

Ter prazer. Buscar o prazer. O prazer, como o poder – de verdade – tem que ser buscado, tomado. Não o que se extorque do outro e que o impede de sentir o seu; não aquele que podem conceder-lhe, se você concordar sempre em receber. Para ter prazer, para ter poder, isto é, para assumir e exercer seu próprio poder, poder sobre a vida e sobre sua própria vida, é preciso em primeiro lugar ter consciência do corpo.

Mas não é absurdo falar do poder do corpo feminino? De sua potência? A potência não é exclusivamente masculina, pois, se ela faltar ao homem, chamam-no de "impotente"? Nunca se diz que uma mulher é "impotente". Quando a carga energética, o movimento espontâneo, a força vital, o poder orgástico da mulher estão inibidos, dizem que ela é "frígida". Como se a mulher sem entraves fosse "quente" em vez de potente. Por que, para as mulheres, um critério de temperatura em vez de um critério de ação? E por que as mulheres que atualmente recusam tantas palavras "falocratas", continuam a aceitar a palavra "frígida"? Como explicar-lhes que essa potência feminina que reclamam, que esperam que o mundo masculino lhes conceda, encontra-se, de fato, latente no corpo de cada mulher... e que cabe a ela própria descobrir e ousar exercê-la?

Mas voltemos ao grupo e ao esforço para ajudar a mulher rígida, a mulher impotente, a tomar consciência do próprio corpo, de sua sexualidade.

Tentamos, pois, liberar a bacia. Leva tempo, bastante tempo e às vezes não se consegue nada. Mas, quando a mulher rígida começa a perceber, a sentir as articulações que não conhecia, quando começa a poder mexer-se nem que seja só um pouquinho, ela pode ficar angustiada. Garganta seca, mãos úmidas, o suor frio do pânico. Enfim liberada de antigas defesas, sente-se vulnerável, não se reconhece mais, não sabe em que corpo vive. Por vezes, o medo e a recusa espontânea (e momentânea) do seu novo estado encontram um modo de se exprimir. "Se é para aprender a dança do ventre, muito obrigada, não estou interessada..." Ou então: "Uma vez assisti a um *striptease* tão vulgar..."

Tais reações me lembram a história do início da carreira de Elvis Presley, então chamado "Elvis, o Pélvis". Foi o primeiro cantor, pelo menos o primeiro branco, que atrás da guitarra "soltava" (alguns diziam "desmontava") a região pélvica no *rock and roll* (balança e rebola). Uma aluna americana contou-me que, num dos primeiros programas de Elvis Presley na televisão americana, em cinqüenta e poucos, houve um incidente. O "câmera" que fotografava o jovem Elvis, primeiro de pé e depois, com uma tomada de primeiro plano, o meio do corpo (procurando mostrar os movimentos das mãos na guitarra), voltou a fixar imediatamente a câmara no rosto e não mudou mais até o fim da música. No dia seguinte, polêmica em todos os jornais. Pró e contra a "lascívia" nas horas de grande escuta; pró e contra a "censura" exercida pelo "câmera"!

Pode acontecer que a mulher rígida não procure defender-se. Não se sente indignada nem culpada. Deixa-se apenas descobrir. No meio do grupo, lá está ela só, espantada, feliz, no silêncio peculiar de quem chega a escutar o corpo.

Mas não é apenas nos órgãos genitais que a sexualidade é encontrada ou "tratada", pois não se situa exclusivamente neles. O corpo é uma vasta rede sexual. Achar que a sexualidade se limita ao sexo é ter uma visão do corpo fragmentada e bastante nociva.

Há algum tempo vimos trabalhando nos grupos a cabeça e seus orifícios. Por exemplo, peço aos alunos que fechem a boca e só respirem pelo nariz. Eles fazem. Com atenção e boa vontade, metodicamente. Depois se cansam. Vão se aborrecendo. Olham para mim como se dissessem: "E daí?". Pergunto então se estão sentindo algo. Não, não sentem nada; não há nada a sentir. E o ar? Como? O ar. Nas narinas. O ar que passa pelas narinas. Ah, sim. Estão sentindo onde? Na ponta do nariz? Perto dos olhos? Eles começam a fazer careta; fungam; com dois fiozinhos de ar começam a tocar como num instrumento musical, fazendo como as crianças. Uns fecham uma narina ou enfiam o dedo no nariz. Descobrem que têm dois buracos no nariz e que o ar pode entrar; e eles podem sentir que o ar entra e podem sentir que o ar sai. Parece coisa de nada; mas, para alguns, é uma revelação... perturbadora. Cruzam as pernas, coram, tentam disfarçar o embaraço, ficam com um jeito de adolescente de outrora. Descobriram que o nariz tem dois buracos por onde o ar entra e sai e, a partir daí, mudam o modo de sentar, olham disfarçadamente em torno de si e não sabem o que está acontecendo com eles.

Aproveito a situação. Peço-lhes que relaxem o maxilar, que deixem a boca aberta. Uns nem tentam: "a gente vai babar". Explico que não tem importância. Peço que ponham a língua de fora. Começam a aparecer umas pontinhas no meio de dentes cerrados. Digo que a língua é comprida, Que a deixem toda pendurada. Mais ainda. Assim. E agora que apontem a língua para o queixo. Depois para o nariz. E depois para a maçã direita do rosto, para a esquerda. Em seguida, que façam num movimento contínuo o circuito nariz-maçã do rosto-queixo-maçã do rosto.

Poucos são os que aceitam imediatamente. Usam a língua antes de tudo para queixar-se: "Fica tudo molhado. – Machuca. – A gente fica com cara de bobo." A maioria chega pelo menos a tentar. Mais ou menos. Mas há sempre algum que se recusa categoricamente. Com o maxilar apertado, uma cara furiosa ou sofrida, esperam imóveis, rígidos, com o olhar fixo, decididamente armados até os dentes, que a sessão acabe. E às vezes não voltam nunca mais.

O corpo sabe que é um todo, que um orifício faz pensar noutro, que uma sensação num orifício da cabeça provoca sensações nos orifícios genitais, que a tomada de consciência de uma parte saliente – nariz, pé, mão, língua, pênis – desperta a consciência de uma outra parte. No entanto, se a gente não quiser admitir o que diz o corpo, pode então, a vida toda, tentar reduzi-lo ao silêncio, sem receber-lhe as mensagens.

Vamos continuar. Peço aos alunos que se deitem de costas e que relaxem de novo o maxilar. Alguns já compreenderam que o maxilar se parece com a pelve quanto às possibilidades de movimento; que pode também ficar contraído, imóvel, preso numa posição de recuo, de medo. Essa associação pode ou não facilitar o relaxamento que solicito. Mas vamos supor que eles consigam. Explico então que se trata agora de sentir a língua na boca, sentir a largura da língua, a espessura da língua, quando ela está parada na boca.

No início não sabem o que fazer com a língua. Encostam-na no céu da boca ou empurram-na para trás, até as amídalas. Mas, pouco a pouco, deixam-na ficar como ela é, língua encostada na boca que pode estufar, esticar, encher a boca a ponto de não dispor de espaço suficiente e ter que sair.

É em geral nessa hora que se estabelece um profundo silêncio. Os olhos vão-se fechando. O corpo fica mais pesado, pregado no chão. Até o corpo da mulher impotente, se ela se permitir perceber como é que fica a língua na boca. (Aliás, se nessa hora for feito o movimento de balanço com a bacia, haverá menor resistência.) Uma vez fiz essa experiência da língua espessa e larga com uma gestante, que me disse depois, sem maiores explicações: "Isso me ajudou na hora do parto".

O trabalho de tomada de consciência dos orifícios não pára na cabeça. Há pouco, num grupo casualmente formado só de mulheres – entre as quais uma "oficialmente" impotente, fazendo análise há anos –, propus que trabalhássemos os orifícios "inferiores". Como se o silêncio fosse consentimento, disse-lhes: "Abram os três orifícios".

Diante do espanto geral – ninguém sabia que tinha três – acrescentei: "O ânus, a vagina e a uretra. Abram os três ao mesmo tempo. Mais. Mais ainda. Agora fechem. Bem apertado. Abram de novo, mas devagar. Ao máximo. Percebam se vocês dominam os músculos, se conseguem fazer movimentos regulares, precisos. Expliquei que não se tratava de realizar proezas sobre-humanas (como o iogue que, dizem, consegue "beber" com a uretra), mas sim de tomar consciência da potência muscular normal, de fazer com conhecimento os movimentos executados ou não automaticamente.

É claro que, olhando, eu não podia verificar os esforços delas, assim como elas também não viam nada. (Será que a ignorância que a mulher tem do próprio corpo não provém do fato de não poder ver suas partes íntimas, a não ser que faça um esforço para olhá-las, bem como de não poder apalpá-las, a não ser que decida fazer isso; explorações visuais e táteis que desde a mais longínqua infância lhe desaconselham?)

A eficácia desses movimentos (que um aluno começou a chamar de "sex-exercícios") foi comprovada inúmeras vezes. Mas devo admitir que alguns alunos – que seguem há bastante tempo e seriamente o curso – não entendem nada. Foi o caso de uma moça bem desembaraçada, sempre na última moda, que se queixava a uma colega, na hora em que trocavam de roupa: "Gosto do curso. Mas não é erótico. Ela nunca fala dos seios".

Como se o erotismo se situasse nos seios! Como se o seio do erotismo, que não pode deixar de ser o corpo todo, estivesse apenas no seio. É verdade que naquela época a moda era "nostálgica", mas teria ela adotado a tal ponto as convenções mamalógicas do cinema americano da década de cinqüenta? É claro que os seios "são importantes", tendo prioridade em todas as listas onde figuram as zonas erógenas. Mas para ter consciência do potencial erótico do seio não é preciso ter aulas.

Basta uma rápida lufada de vento, uma mão (até a própria) que neles roce de leve.

Na aula seguinte, não resisti à vontade de fazer um discursinho. Expliquei que minha intenção é a tomada de consciência do corpo através do movimento muscular; que, se não trabalhamos o seio, é porque ele se compõe de pele, gordura e glândulas. Quando se pretende "fortificá-lo" ou torná-lo firme através das clássicas contrações e extensões, tudo que se consegue é desenvolver os peitorais, isto é, aumentar os músculos que ficam atrás e acima dos seios. Resultado: peito mais musculoso e seios tão flácidos quanto antes.

Trata-se, pois, de não considerar exclusivamente os seios, mas sim de situá-los no seu "meio", de considerá-los sobretudo em relação com os ombros. Soltar os músculos trapézios, permitir aos ombros que se alarguem, pode modificar o lugar dos seios, erguê-los e melhorar a harmonia das proporções da parte superior do corpo. Quanto à firmeza da glândula do seio, não há ação sobre o seio que possa fazer algo. Para que um seio seja firme, que o sangue nele circule livremente, é preciso que todo o organismo seja sadio.

A gravidade da questão da impotência sexual – como da consciência fragmentada do corpo – tornou-se evidente para mim quando tratei de uma pessoa que sofria de graves deformações: a srta. O.

Diante do rosto cheio, liso, claro, do olhar ingênuo, eu não conseguia adivinhar que idade ela tinha quando a vi na primeira entrevista. Mas, levando em conta alguns fios de cabelo branco espalhados pela cabeleira castanha, o corpo meio flácido e as roupas fora de moda, arrisquei: "quarenta anos". Abaixando o olhar e corando de alegria, respondeu-me: "cinqüenta e nove". Achei triste – e nada lisonjeiro – uma pessoa dessa idade ter jeito de mocinha, mas não disse nada. Entregou-me uma carta do médico e, enquanto eu tentava ler, pôs-se a contar sua vida com um tom monótono como se já tivesse feito isso muitas vezes, num quadro semelhante. Vivia com mamãe, que, graças a Deus, ia bem: era ela quem saía para as compras e quem cuidava da casa pois O., por causa da doença, só saía para ir ao médico. As duas moravam num apartamento térreo sem nunca ter mudado de casa, graças a Deus. Ela se parecia com mamãe e nada com papai, que tinha ido embora antes de ela nascer, deixando-lhes o apartamento e uma foto que parecia a do Rodolfo Valentino. Antigamente ela trabalhava numa Escola Maternal, não como professora, mas apenas na secretaria. Depois trabalhou na Paternal (engraçada a coincidência, não?), companhia de seguros onde cuidava do fichário dos acidentes no trabalho. E depois parou, muito doente, não conseguindo mais andar, com o pé completamente endurecido; por isso, há dez anos, está em casa com mamãe, que, graças a Deus, vai bem.

Telefone. É o médico que pensava que ela só devia vir no dia seguinte. Confessa-me que não consegue entender o caso. Será que ela tem uma descalcificação ou uma esclerose progressiva, ou seqüelas de um tombo na infância ou, ainda, as conseqüências de uma poliomielite? Não acha que seja nada disso, mas não tem certeza. Ela fez todos os testes possíveis e imagináveis, esteve numa porção de especialistas e ninguém sabe dar um diagnóstico convincente.

Desligo. Peço à srta. O. que se levante e dê alguns passos. Ela não pode levantar o pé esquerdo. Por isso só encosta no chão a ponta do pé, nunca o calcanhar. O outro pé, virado de todo para dentro, é um monte de calos, de pele seca; os dedos estão deformados, crispados, esmagados uns contra os outros. Ela usa bengala e anda com muita dificuldade.

Faço com que ela se deite no chão e levante as pernas em ângulo reto. Não é muito difícil apesar de os joelhos virarem ainda mais para dentro. Os adutores, "músculos da virgindade", que descem do púbis seguindo a face interna das coxas, estão extremamente rígidos e mantêm as pernas bem juntas.

"– De noite tenho câimbras horríveis no interior da coxa. Chegam a me acordar. Sonho sempre a mesma coisa."

Em silêncio espero que ela continue.

"– Sonho que estou caindo."

Pois bem. Seguro seus pés e peço-lhe que encoste ainda mais as pernas. Ela solta um grito de dor, tenta mexer-se em todas as direções. A parte anterior das coxas está contraída. Peço que aponte o calcanhar esquerdo para o teto. Indignada, responde: "Mas é por isso que vim até aqui. Não posso". Proponho-lhe que tente. O pé resiste. Insisto. Um tênue movimento se esboça. Insisto ainda e o pé se dobra, seguro de leve por mim. Ah, então esse pé pode se mexer! Então ela poderia mexer o pé. Peço que repita sozinha. Nova indignação. Ela não pode. Ponto final.

Encosto-lhe os pés no espaldar de uma cadeira – as pernas continuam perpendiculares ao chão – e começo a trabalhar a nuca. Ela se queixa de estar com a boca seca. Peço-lhe que gire a cabeça da direita para a esquerda. Protestos e gritos. Quando, ao terminar, abaixo-lhe as pernas, ela solta gemidos convulsos. Os adutores agitam-se com violentos tremores espasmódicos. Tiritando de frio, murmura: "Você me desmonta. Você me mata". Cubro-a com um cobertor e sento-me perto dela. Explico que os músculos podem mexer-se, que poderiam dobrar o pé, mas que ela não lhes envia as ordens adequadas.

"– Então deve ser na cabeça! Devo ter uma lesão cerebral!"

Pergunto-lhe se ela acha mesmo isso. Entre as sobrancelhas duas profundas rugas aparecem. Olha-me com um olhar diferente. Com outra voz, responde: "Não, não tenho lesão cerebral. Mas tenho alguma coisa na cabeça". Explico que cabeça e corpo formam um todo fiel e íntegro. Proponho que ela volte regularmente, pois poderá fazer muitos progressos. Ela concorda e acrescenta: "Isso mesmo. Vou deixá-la agir". Digo-lhe que desse jeito não vai acontecer nada, que cabe a ela fazer o trabalho. Ela já havia compreendido. Não é tão boba quanto parece. Leva a mão à testa, passa-a pelas pálpebras, rosto e boca. Atrás da máscara de boneca, havia uma mulher que esperara cinqüenta e nove anos para começar a ter um rosto. E o corpo? Quanto tempo ainda vai ela esperar para descobrir que tem um corpo de mulher?

Depois que ela sai, fico nervosa, sem graça, sinto-me triste. Françoise Mézières diz que nunca é tarde demais para tomar consciência do corpo, para descobrir-lhe a coragem, a combatividade, a potência vital. Mas, pensando no caso da srta. O., na longa morte que representou todo o tempo de sua vida, pensei também que nunca é cedo demais para ter medo do próprio corpo, um medo paralisante e suicida.

Medo do corpo... medo das palavras... Às vezes ambos estão associados. Quem tem do corpo apenas uma consciência fragmentada e fugidia, quem não o conhece por dentro, precisa colar uma etiqueta na embalagem. A palavra que acha indispensável para definir-se é quase sempre aquela que mais teme. "Anormal" e "homossexual" são palavras temidas por muitos homens e mulheres que nelas buscam a "identidade", apesar de terem medo de nelas se perderem.

Mas quem ressuscitou as zonas mortas do corpo, quem conhece (ou adivinha) a multiplicidade dos próprios desejos e a riqueza dos seus meios de ação e reação, não pode mais contentar-se com as definições de dicionário. Descobre que as definições e a nosografia não são adequadas à nova experiência que tem do corpo: só podem conservá-lo nos limites da experiência anterior, defini-lo em relação ao que ele não ousou viver até então.

Em vez de ficar sempre falando de si – de pensar e de existir portanto só por meio de palavras – resolve escutar as sutis e variadas mensagens do corpo. Descobre que o corpo é ele mesmo e que vai mais além; que é mais rico e profundo que as palavras. Descobre que pode interromper o monólogo contínuo do seu pensamento e provar a si mesmo o que existe através das sensações. Assim descobre uma nova linguagem, uma linguagem de amor que lhe é própria e cuja única fonte de referência é o corpo. Na multiplicidade de suas possibilidades e desejos, descobre a multiplicidade da sexualidade, de suas sexualidades. Hétero... homo... bi..., é a sexualidade, sua sexualidade que tem importância, seu corpo que se realiza.

Tornando-se veículo da imaginação, o corpo pode enfim se metamorfosear a partir de sua realidade e em função de seus desejos e dos desejos do outro. Metamorfose não quer dizer negar-se, esconder-se, mas sim ser plenamente com todas as suas possibilidades. Quem conhece o próprio corpo, só recusa o que é falso, o que não vive no seu corpo. Tendo-se libertado de definições, repressões, proibições, goza enfim da verdadeira liberdade sexual.

A casa acolhedora

Tomar a iniciativa de despertar as experiências arcaicas mais dolorosas e as zonas mortas que as exprimem..., tomar a responsabilidade do estado do corpo..., tomar consciência lentamente até sentir a própria vida tomar corpo... "Tomar", sim. Mas, e depois? Depois de tomar, não será o caso de oferecer? Depois do "por que" da tomada de consciência do corpo, não será útil procurar o "para quem"?

Tomar conta da própria vida é assumir o preço da maturidade. (A partir de uma certa idade, somos responsáveis pelo rosto e pelo corpo que temos.) Mas a maturidade consiste também em assumir responsabilidades para com os outros. Para com os filhos, se somos pais. Para com os alunos, se somos professores. Para com os pacientes, se somos médico, enfermeiro ou psicanalista.

Muitas vezes tenho constatado que a pessoa, ao despertar o próprio corpo, ao tornar-se gradativamente mais disponível a si mesma, modifica o comportamento daqueles que devem "responder" à sua linguagem corporal. Assim, inúmeros homens e mulheres acham que seus parceiros sexuais ficam, como por encanto, mais completos ou mais jovens à medida que descobrem o próprio corpo. Não percebem de imediato a relação entre os próprios progressos e as mudanças que notam nos seus amantes; e isso porque talvez não seja fácil compreender como "somos vividos" e mesmo admitir que "somos vividos" se, durante muito tempo, ficamos sem sentir o que é viver.

Mas o que acontece quando se toma consciência do corpo? Sexualmente, o corpo que antes não passava de fachada, aprofunda-se, alcança sua terceira dimensão para tornar-se uma casa de verdade, onde mora gente e onde, potencialmente, podem morar dois. Sentindo-se estável, menos vulnerável, a gente se deixa descobrir pelo outro. Disponível enfim às próprias sensações, adquire-se um novo sentido do outro. Percebe-se-lhe o corpo na variedade de suas expressões, emoções e desejos. Sabendo o que sentimos, imaginamos melhor o que o outro sente; a experiência do nosso corpo aproxima-nos do dele.

Enfim, pelo contato consigo mesmo, aquele que tomou consciência do próprio corpo estabelece novos contatos com o "próximo" que, anteriormente, era conservado a distância. Às vezes, porém, o outro não se deixa abordar. A história da sra. G., que trabalhava num dos meus grupos há vários meses e fizera progressos consideráveis, ilustra bem essa situação.

Tratava-se de uma quadragenária casada há mais de vinte anos com um homem que parecia seu irmão gêmeo. Altos, magros, empertigados, pareciam um par de gafanhotos. Um dia, ela parou de progredir e ficou assim durante semanas. Não me preocupei, pois sabia muito bem que é freqüente os alunos chegarem a um patamar, dar uma parada e depois continuar. Só que na casa do corpo da sra. G. não se tratava de um patamar, mas de uma porta fechada. Por seu marido. "Ele não está de acordo, disse ela um dia. Diz que trabalhar o corpo é narcisismo, é fazer do umbigo o centro do mundo. Disse até..." Espero que ela continue. "Que é onanismo", cochicha ela. Compreendi a gravidade do conflito, quando a sra. G. avisou que ia ter que deixar o grupo.

Mal começara a entrever como sua vida podia ser profunda e a exploração ia ficar por isso mesmo. Não porque ela estivesse com medo do corpo, mas porque o marido estava com medo. A própria maneira de ela viver o corpo devia ter modificado seu modo de ver o marido e de recebê-lo. Então ele se defendia a golpes de "ismos". Acusava-a de só se interessar por si mesma, quando, de fato, o que ela fazia referia-se muito, demasiadamente, a ele.

Meras palavras lançadas do alto, os "ismos" são quase sempre usados por quem tem o poder de mandar na vida dos outros sem examinar a própria. Quando soube que o marido dela dava aulas para crianças da idade dos meus filhos, a irritação que sentia transformou-se em cólera. Ser professor não supõe que se conheça antes de tudo um certo número de coisas sobre si mesmo? Ao apresentar-nos diante de um grupo de alunos, expomo-nos não apenas a ser escutados, mas a ser vistos, sentidos e até tocados. Apresentamos o nosso corpo e tudo que ele revela sobre nossa vida. Se consideramos os alunos como algo além de máquinas gravadoras de nossas palavras, o trabalho que fazemos terá que ser um corpo-a-corpo. (Por que ainda costumamos chamar a conversa de duas pessoas de *tête-à-tête* em vez de "corpo-a-corpo"?) O corpo docente é antes de tudo o corpo de cada professor. O saber que o professor propõe é, certamente, o que ele aprendeu através da reflexão, mas também, e simultaneamente, através da experiência de seu corpo. Se o professor não tiver consciência de sua presença corporal, os alunos de hoje logo lhe farão sentir que não estão lá a fim de aprender o que ele lhes conta, mas para apanhar o que ele amadureceu, os frutos de sua experiência. O corpo do professor é uma espécie de árvore do conhecimento.

Mas o que se poderia apanhar nesse homem que queria ignorar o seu e o corpo de sua mulher, assim como, bem provavelmente, o de seus alunos? Um homem desses só podia oferecer aos alunos palavras... "ismos", justamente.

Às vezes, é tudo o que o pai oferece ao filho. De qualquer forma, ele não lhe oferece o corpo. Só o toca com a ponta dos dedos; não o acaricia, não o envolve, só o beija com cerimônia e na hora certa. Quando acha que a criança não se desenvolve normalmente, começa por perguntar os motivos a uma plêiade de especialistas, sem desconfiar que a única pergunta pertinente deve ser feita a ele mesmo. Consideremos a sra. D., que estava em tratamento comigo, há várias semanas, de uma "periartrite escápulo-umeral". A extrema rigidez dessa enorme mulher poderia também ter-lhe causado dores na base da coluna, dos quadris, dos joelhos. Um dia avisou-me que queria me apresentar a filha. Ótimo. Quando ela pode vir? "Mas ela está aí, na entrada!" A entrada da minha casa é minúscula, mas eu não havia percebido a menina.

"– Sylvie!"

Sylvie entra rente à parede e se coloca atrás da mãe que, sentada diante da minha mesa, começa a falar como se Sylvie não estivesse presente.

"– Ela não cresce, diz com um tom acusador. Com doze anos, 1,40 metro é pouco. O pediatra diz que ela é normal, mas eu..."

Sylvie está virada para a estante. Só vejo seu rosto vagamente de perfil. O corpo fica escondido pelo da mãe.

"– Do dia em que nasceu até fazer um mês, não parou de berrar. A gente não suportava mais. Então mandei-a para uma ama, longe de casa. Quando ela voltou, não parava de fazer birra."

Não estou mais prestando atenção. Tento olhar o corpo de Sylvie que dança de um pé para o outro, num movimento rígido e ritmado como o pêndulo do relógio. Vejo os ombros caídos, o pescoço enfiado nos ombros, o jovem corpo contraído, torto como o caule de uma planta que está sendo forçada a virar para o lado da sombra. Não constato nenhuma deformação que mereça uma etiqueta oficial. Parece-me que o problema mais urgente a tratar é outro. Digo isso à sra. D. Ela não fica nada contente. Por causa da minha observação ou porque a interrompi.

"– Sylvie, diz sem voltar-se para a filha, vá esperar a mamãe lá na porta." Sylvie dá uma grande volta por trás de nós e sai sem que eu consiga ver-lhe o rosto.

Tenho imensa vontade de dizer à sra. D. que uma criança que é levada para "fazer reeducação" quase nunca está motivada para isso. Vai até lá por ordem dos pais ou do médico. O terapeuta pode tentar cativá-la, explicar-lhe o que há a fazer, convencê-la a "cooperar". Mas para quê? O corpo tem razões para crescer torto que a razão do terapeuta desconhece. Lembro-me da famosa experiência com dois grupos de cobaias que no laboratório são alimentadas do mesmo jeito e na mesma hora. Só que o segundo grupo, além disso, é acariciado. E são incomparavelmente mais fortes, vivas e resistentes à infecção. Mas não sei se adianta transpor em palavras o que estou pensando. A sra. D. já deve ter ouvido e lido milhares de palavras; e está no ponto em que está. Então, em silêncio, retomamos o trabalho sobre o seu corpo.

Trabalhamos com a sra. D. durante um ano. Pouco a pouco as dores do ombro foram cedendo, as recaídas tornaram-se mais raras. Os movimentos de braços e mãos ficaram menos bruscos. Começou a dar "folga" para seu andar militar e perdeu-o de todo. O rosto exigente ia se modificando ligeiramente e chegava a uma expressão grave. Quando sorria, mexia, além dos lábios, o rosto, os olhos, a testa.

No fim do ano, depois da última sessão, acompanhei-a até a porta. Duas pessoas esperavam na entrada. O próximo paciente e uma moça desconhecida. A sra. D. aproximou-se dela e passou-lhe o braço pelos ombros; a menina empertigou-se um pouco e depois deixou-se envolver. "É ela mesma. Minha filha Sylvie", diz a sra. D.

A menina tinha crescido mais de 10 centímetros! Bem proporcionada, tinha uma boa postura, um olhar franco, inteligente e, é claro, um pouco desconfiado. Ela saiu antes da mãe, que me cochichou: "Vai tudo bem. Parece que foi 'a formação'".

Pode ser. Mas acho que os progressos de Sylvie foram a repercussão dos de sua mãe, que aceitara, enfim, assumir seu corpo de mulher e de mãe.

Recentemente uma senhora de sessenta e cinco anos veio ver-me: tinha uma grande deformação da coluna vertebral, conseqüência de um acidente de carro que sofrera na juventude. Há anos que padecia diariamente. Era médica. Mas há dois anos a dor a tornara quase inválida e teve que parar de clinicar.

Enquanto eu tratava dela, perguntou-me se eu sofrera de alguma coisa. Fiquei meio sem resposta.

"– Não, nunca", respondi. Depois, como para consertar: "Sim, uma vez tive um lumbago, mas..."

Ela explicou:

"– Pensei que você tivesse sido doente, porque sabe prestar atenção ao que o outro sente."

Acrescentou que sua própria dor tornou-a sensível aos sofrimentos de seus pacientes. Segundo ela, só quem sofreu pode ser médico.

Respondi-lhe que a sensibilidade ao corpo do outro pode-se aprender por outras vias além da dor, mas que, com efeito, essa sensibilidade faltava a muitos médicos. Em vez de dizer que eles não têm coração, parece mais justo dizer que não têm corpo. Habitando tão pouco o corpo, percebendo-se como cabeça ou mãos, eles não conseguem ver os pacientes como seres inteiros. Para esses médicos, os pacientes se confundem com a doença que têm. Interessam-se pela doença sem prestar atenção no ser humano que sofre; chegam a reduzir os doentes a "não-pessoas", diante das quais discutem o "caso" em termos crus. Ou, então, os médicos que têm medo do próprio corpo são às vezes tão cheios de pudor, que se tornam incompetentes para examinar o dos pacientes.

Há tempo que os estudantes de medicina são obrigados a seguir cursos de psicologia. Já é um progresso. Mas não seria ainda melhor se, *antes* de optar pela medicina, os candidatos seguissem "cursos" de tomada de consciência do corpo? Em vez de reduzido ao estudo das pranchas de anatomia e à dissecação de cadáveres, seu conhecimento do corpo humano – do ser inteiro – seria enriquecido por uma pesquisa efetuada sobre sua própria pessoa.

Ao tomar consciência dos próprios bloqueios musculares e ao procurar-lhes as origens, quantos estudantes não compreenderiam melhor os verdadeiros motivos que os levaram a escolher a medicina? Quantos, dos que acreditam ser portadores de uma vocação, não descobririam que, ao escolher a medicina, apenas cederam, mais uma vez, às pressões familiares e sociais e que o corpo deles se revolta, recusa um futuro que, no fundo, não desejam realizar? Quantos não compreenderiam que se destinam a posições de responsabilidade e autoridade, justamente porque não ousam assumir a responsabilidade da própria autonomia?

"Desde que rolo no chão junto com meus pacientes, sinto-me bem melhor", disse-me uma vez uma psicanalista americana.

Antes assim. Mas, se ela tivesse consciência do seu corpo antes de lançar-se na *touch therapy* – muito em moda naquele ano –, seus pacientes teriam aproveitado mais dela, teriam podido "senti-la" mais e sentirem-se eles mesmos melhor. Ou, então, talvez ela pudesse descobrir que, se costumasse naturalmente tocar seus pacientes com gestos espontâneos e autênticos, não teria tido necessidade de manifestações tão violentas para provar-lhes que era real e para que eles também exprimissem sua realidade.

É verdade que nos hospitais psiquiátricos começam a dar importância à vida corporal dos doentes. Mas ainda estão longe de reconhecer a importância da vida corporal dos médicos.

Estão usando as técnicas de *maternage*: dar mamadeira ao doente. Ou então embrulham-no em lençóis molhados, com a intenção de despertar-lhe as sensações do corpo. Mas, ao abordar o corpo do doente através de objetos, apresentando-lhe símbolos palpáveis, "fazendo de conta" e esperando que o doente aceite o jogo, não estamos reduzindo o corpo do doente a objeto manipulável? O essencial não seria que quem apresenta os objetos seja não apenas um instrumento intermediário, mas, sim, uma pessoa de verdade, habitando o próprio corpo? A autenticidade dos gestos do médico, seu calor e naturalidade evitariam, acho, o aspecto artificial de técnicas que se pretendem "humanizadas".

No livro *Soi et les autres*, o antipsiquiatra Ronald Laing conta a história de uma esquizofrênica a quem a enfermeira oferecia uma xícara de chá. "É a primeira vez na minha vida que alguém me dá uma xícara de chá", diz-lhe a paciente.

Como o fato é passado na Inglaterra onde tomar chá é um rito cotidiano, parecia impossível que a paciente estivesse dizendo a verdade. E estava. Laing explica que, através de sua extrema sensibilidade ao fato de ser reconhecida ou não pelos outros como ser humano, como corpo, ela exprimia uma simples e profunda verdade: "Não é tão fácil assim alguém dar a outrem uma xícara de chá. Se uma senhora me oferece uma xícara de chá, talvez esteja querendo mostrar o bule ou o aparelho de porcelana, talvez queira me deixar de bom humor para conseguir algo de mim; talvez queira me agradar; tornar-me sua amiga para que eu a ajude a atacar outras pessoas. Talvez ela verta o chá na xícara e estenda a mão que segura o pires onde a xícara está pousada, esperando que eu os segure nos dois segundos que precedem o instante em que se tornariam um peso morto. Poderia ser um gesto meramente maquinal que não comportaria nenhum modo de *me* reconhecer. Uma xícara de chá poderia me estar sendo oferecida sem que me *dêem* a *mim* uma *xícara de chá*"[1].

Estar presente lá, junto à xícara de chá..., estar presente, no corpo, para si e para os outros..., morar no seu corpo..., mas antes será preciso admitir que temos um corpo, que somos corpo. E até que nossa única verdade objetiva e concreta de ser corpo.

Pensamento, sentimento, raciocínio, é claro. Somos também tudo isso e muito mais. Mas às vezes nós o somos só porque dizemos que somos. Usamos apenas palavras – traidoras, contraditórias, fugitivas – para informar-nos sobre nós mesmos, para nos inventarmos. Mas é possível, é essencial sentir em nosso corpo quem somos, o que somos. Sejamos antes de tudo corpo. Sejamos enfim corpo. Sejamos.

---

1. R. Laing, *Soi et les autres*, Gallimard, 1971, pp. 130-1.

Post-scriptum

Livro didático? Manual? Sim, mas não muito. Antes de mais nada um livro sonhado, utópico, que indica o trajeto a ser feito para chegar junto a si mesmo.

Foi preciso talvez tentar escrever este livro, tentar contar a própria história e apreender o essencial da história dos outros para compreender quão difícil é a tomada de consciência. Para compreender também como é preciso coragem, senão para começar o trabalho, ao menos para não abandoná-lo no meio do caminho, ou quando percebemos que somos ao mesmo tempo nosso objetivo e nosso maior obstáculo. Persistindo, vemos que estamos contra a corrente; quanto mais avançamos, mais nos aproximamos do começo. Nosso corpo procura suas origens, as razões por que se tornou o que é. Através do corpo, o ser inteiro aprende que evoluir é apenas ir de começo em começo.

No prefácio deste livro, apresentei uma lista das finalidades a que podem pretender aqueles que tomam consciência do corpo. Quanta satisfação ao enumerar, ao prometer; é como se o bem já tivesse sido feito. Neste *post-scriptum*, redigido um ano depois, é com humildade renovada que acrescento só isto: ousemos começar.

Preliminares

Preliminares

Vou descrever alguns Preliminares, os movimentos de que falei anteriormente. Tenha cuidado. Não que eles lhe possam fazer mal ao corpo. O perigo estaria em você lhes atribuir uma autoridade para submeter-se a ela; em você esperar deles uma nova consciência do corpo. Mas a consciência do corpo não se dá. Não há movimento nem método que a conceda. A consciência do corpo conquista-se. É de quem resolve procurá-la.

Mas que providências tomar para ter consciência do corpo? Primeiro não se encarniçar para "acertar" os movimentos. É até mais importante errar... e através disso descobrir o que o corpo ainda não pode fazer, o que não tem coragem de fazer, o que ele esqueceu. Em seguida, para tomar consciência do corpo é preciso perceber o tempo... como quando a gente vai tomar o pulso. Não se trata de ir devagar; mas, sim, de observar a sua velocidade, o ritmo que lhe vem do interior do corpo.

Previno-o de que a descrição escrita dos Preliminares não passa de uma mera evocação. No máximo, são notas sobre a improvisação viva e sempre renovada que constitui a aula dada por um terapeuta experiente. Cada lição é feita "sob medida", modelada de acordo com as necessidades do aluno, levando em conta sua experiência anterior e disponibilidade atual. A voz do terapeuta, o tom e ritmo do que diz, a presença ou ausência de outros alunos, o local ao mesmo tempo neutro e familiar onde a aula é dada, o ambiente..., todos esses elementos contribuem para aproximar o aluno do seu corpo.

Improvisação "inspirada", uma boa aula deve, porém, seguir a estrutura clássica. Como a da peça de teatro ou do romance policial. Há um desenvolvimento gradual em "crescendo" para o desfecho, que é seguido por uma descida suave e breve para a vida que continua.

Mas, já que você vai trabalhar sozinho, sugiro que comece cada sessão pelo primeiro Preliminar. Ele ajuda a situar-se, a saber o que não vai bem e a sentir do que o corpo precisa em primeiro lugar. Em seguida, escolha o Preliminar que lhe parece mais conveniente. Não procure fazê-los todos, um atrás do outro. É melhor fazer um só, com atenção, seguindo o próprio ritmo. Saiba no entanto que um ombro crispado descontrai-se quando se trabalha o pé. Mas isso e muitas outras coisas o corpo lhe dirá... se você quiser ouvi-lo.

1. Desabotoe toda a roupa, tudo o que aperta o corpo. "Não, meu sutiã não está apertado. Estou acostumada", dizem com freqüência. Na verdade, a pele está marcada por vincos profundos.

Deite-se de costas no chão. Completamente. Braços estendidos ao longo do corpo, palmas voltadas para o alto, pés à vontade. Deixe o silêncio instalar-se. Será mais fácil se você fechar os olhos. Talvez você não se sinta muito bem. Espere. Não mude nada. Observe apenas. Quais são os pontos de contato do seu corpo com o chão? Como encostam:

– os calcanhares? um calcanhar em relação ao outro?
– a barriga das pernas?
– as nádegas? os ossos da bacia? o sacro?
– as costas? quantas vértebras encostam no chão?
– as omoplatas? com relação à coluna? uma em relação à outra?

– os ombros? estão distantes do chão?
– a cabeça? você sente o peso dela? o ponto de contato com o chão?

Preste atenção nos maxilares. Se estiverem cerrados, tente soltá-los. Deixe a língua alargar-se na boca. Deixe-a tomar espaço na cavidade bucal. Pronto. É o começo do trabalho.

2. Este Preliminar é um trabalho sobre o pé. É preciso uma bola de espuma do tamanho de uma tangerina. Ponha-se de pé e coloque a bola sob o pé direito. Tranqüilamente comece a esfregar a bola com a planta do pé. Faça uma massagem completa: sob os dedos, sob a parte anterior do pé, sob a parte mediana do pé. Deixe os dedos na horizontal, prolongando o pé. Não os levante para cima. Deixe a perna direita pender com todo o peso. Continue a fazer massagens pedaço por pedaço, suave e metodicamente em todo o pé: calcanhar, borda interna e borda externa. Que a pele e os músculos da planta do pé acolham bem a bola. Pode ser que algumas zonas estejam doloridas. Não as ataque com força. Faça uma massagem suave em volta delas. Continue só enquanto o pé permitir.

Em seguida, deite-se e compare as duas metades do corpo. Ou então se debruce para a frente e experimente se você abaixa com mais facilidade um lado que o outro. Depois "faça" o outro pé.

3. Este Preliminar é ainda um trabalho com o pé. Sente-se no chão o mais confortavelmente possível. Coloque o pé direito sobre a perna esquerda estendida, de modo a poder ver a planta do pé direito. Segure o dedão do pé direito com uma mão, mantendo o pé com a outra mão. Puxe suavemente o dedão e faça-o girar ligeiramente, como se fosse aparafusá-lo.

Depois desaparafuse-o. Faça a mesma coisa com o 2º, 3º 4º e 5º dedos. Não tenha pressa. Puxe e faça girar desde a base dos dedos. Cada um corresponde a uma zona da coluna vertebral. (Deixe a perna esquerda sempre estendida.)

Mantendo a perna direita flexionada, coloque o pé direito erguido à sua frente, mas conservando os *dedos* no prolongamento do pé. Não devem erguer-se. Segure com uma mão o *dedão* do pé direito. Com a outra mão segure os outros quatro *dedos*. Afaste-os suavemente.

O primeiro e o segundo *dedo* devem formar um ângulo reto. Cuidado para não forçar. Você pode levar semanas para conseguir. Com os sapatos, os *dedos* estão mais acostumados a se encavalarem do que a ficarem separados. Veja, em seguida, se consegue o mesmo ângulo entre o 2º e o 3º, entre o 3º e o 4º, entre o 4º e o 5º *dedos*.

Sem pressa, deite-se de costas com as pernas estendidas. Compare como as duas metades do corpo encostam no chão: calcanhares, barriga das pernas, nádegas, costas, ombros. Com o hábito, você poderá comparar até as duas metades do rosto. Não lhe digo o que vai descobrir. Mas a surpresa vai ser ótima.

Se você quiser, pode "fazer" o pé esquerdo logo em seguida. Ou então pode continuar a trabalhar o pé direito. Coloque a palma da mão esquerda contra a planta do pé direito e cruze os dedos da mão com os *dedos* do pé. Isto é, passe os dedos uns entre os outros. Cuidado para passar um dedo da mão entre cada *dedo* do pé e para não pegar dois *dedos* do pé ao mesmo tempo. Empurre de leve até a raiz dos dedos do pé. Isso pode doer no início. Agora flexione a parte dianteira do pé na sua direção, até que você possa ver as articulações metatarso-falângicas. Ponha-se de pé bem devagar. Compare os pés colocados lado a lado. Dê alguns passos. Qual é o seu pé "de verdade"?

4. Este Preliminar é às vezes chamado de "a rede". A sra. Ehrenfried recomenda-o às mulheres que têm regras dolorosas, mas qualquer pessoa pode fazê-lo com proveito. É preciso uma bola bem mole, do tamanho de uma "laranja-baía" grande. Deite-se de costas, com as pernas flexionadas, os pés apoiados no chão, um pouco afastados (seguindo a linha dos quadris). Afaste também um pouco os joelhos. Tente relaxar toda tensão inútil: das pernas, sobretudo dos adutores no interior das coxas, dos maxilares, dos ombros. Coloque a bola sob o sacro e o cóccix. E depois não faça mais nada. Isso é que é o mais difícil.

Deixe que as costas desçam devagar, que se aproximem do chão, que tomem a forma de uma rede. A barriga deve estar solta. O umbigo desce na direção da coluna vertebral. Erguido pela bola, o púbis deve apontar para o teto. A cintura encosta no chão. É só. Mas, se as contrações dos músculos espinais são fortes demais, talvez seja preciso muitas semanas para consegui-lo. Verifique se a barriga continua flexível, tocando-a com a mão. Não adianta agitar-se para conseguir o resultado. Tenha paciência. Agora retire a bola. Observe como a parte inferior das costas encosta.

5. Trata-se de estender as pernas. Deite-se de costas, pernas flexionadas, pés no chão, nuca distendida, isto é, o queixo perto do peito. Segure com a mão direita o antepé direito e tente suavemente desdobrar a perna direita obliquamente para o teto. É importante conservar a coluna bem encostada no chão, eliminar qualquer tensão dos ombros e deixar alongada a metade direita das costas. O melhor é pensar que você não quer mesmo desdobrar a perna. Que lhe é indiferente conseguir ou não. O que você quer muito é ajustar o gesto à respiração. Como se você respirasse pela perna! Ao expirar, você

faz o gesto de esticar e, quando você flexiona de novo a perna, inspira. O esforço, porque há assim mesmo um esforço, aparece quando você expira.

Com paciência, calma, vagar, trabalhe essa perna direita. Depois, estenda-se completamente. Compare o modo como as duas pernas descansam agora no chão. Fique de pé. Compare ainda o modo como você se sustém no chão. Que diferença há entre a perna direita e a perna esquerda? Como, no nível do pé, se reparte o peso do corpo?

Agora deite-se de costas, de novo, pernas flexionadas como antes e tente esticar as duas pernas ao mesmo tempo. Compare. Depois não permaneça torto: "faça" também o lado esquerdo.

6. Para trabalhar os ombros, sente-se num tamborete, com os dois pés bem apoiados no chão. Os dois ísquios (ossos da bacia que se sentem sob as nádegas) devem estar ambos apoiados. Coloque a mão direita sobre o ombro esquerdo nu. Não na extremidade do ombro, mas bem no meio, entre a extremidade e o início do pescoço. Você tem bastante espaço para colocar a palma. Segure com a mão todo o músculo trapézio. Suave mas firmemente; quase sempre aí os trapézios estão contraídos. Deixe pender o braço esquerdo. Depois levante o ombro esquerdo. Com pequenos movimentos leves. Como se estivesse observando o movimento. Depois gire o ombro bem lentamente da frente para trás. Imagine que você vai desenhar círculos perfeitos com o arredondado do ombro. Você vai fazer isso mantendo firme o trapézio para que ele participe o mínimo possível desse movimento. Basta um movimento por respiração. Evite que o cotovelo esquerdo acompanhe o movimento. O braço deve ficar solto de todo, pendurado.

Depois relaxe o ombro. Deixe cair os dois braços. Faça girar ao mesmo tempo os dois ombros. Logo perceberá qual dos ombros está agora "lubrificado".

7. Para trabalhar a nuca, sente-se num tamborete e vire lentamente a cabeça para o ombro esquerdo, depois para o direito como se quisesse olhar para trás. Segure com a mão não só a pele da nuca mas também os músculos. Tente descerrar os maxilares e soltar a língua. Você se segura assim pela nuca, como a gente agarra um gato pelo alto do pescoço. Faça pequenos movimentos com a cabeça – "sim" – várias vezes. Sua cabeça ficará tão descontraída como a das bonequinhas cuja cabeça é articulada por uma mola. Depois faça sinais de "não". Depois, pequenos círculos com a ponta do nariz. Não se esqueça de respirar. Agora solte a nuca. E de novo olhe para trás, pela direita e pela esquerda. Aprecie a nova amplidão do movimento.

8. Para trabalhar os ombros, deite-se de lado, joelhos bem flexionados encostados no chão, o joelho esquerdo deitado *sobre* o joelho direito. O braço direito fica estendido no chão, perpendicularmente ao corpo. A cabeça, a têmpora e, se possível, a face direita encostam no chão.

É importante instalar-se confortavelmente, como se fosse dormir. Preste atenção primeiro à respiração. Não procure modificá-la. Depois levante o braço esquerdo para o teto, com o cotovelo esticado e a mão aberta.

Acompanhando a respiração, devagar, erga o braço e o ombro para o teto, e depois desça-os. Tente tomar consciência dos movimentos da omoplata que escorregará ao descer, durante a expiração, enviesando na direção da cintura, assim como dos movimentos da clavícula. Suba com a inspiração. Desça expirando, calmamente, pelo nariz, sem forçar nem o movimento nem a respiração. Faça isso umas dez vezes.

Depois deixe cair o braço para trás, perto da nádega, com a mão solta, a palma voltada para o teto, em rotação externa, o antebraço solto, largado. Seria bom conservar a cabeça no chão, deixar bastante espaço entre a orelha e o ombro. Trabalhe suavemente, não force nada. Tente tomar consciência do lugar preciso em que você se sente presa (na frente do ombro? atrás? entre a orelha e o ombro?). Imagine que você respira exatamente nesse lugar.

Depois, seguindo a respiração, no momento em que você precisa inspirar, deixe o braço afastar-se da nádega, a mão e o antebraço caindo para trás. No momento em que você expira, pare o movimento. Recomece com a nova inspiração. O braço descreve assim um ângulo de 90°, para trás. Bem devagar. Faça isso em pequenas etapas e sem forçar o movimento.

Traga devagar o braço até o quadril. Deite-se de costas, pernas flexionadas, e compare as duas metades do corpo: contato dos ombros no chão, dos braços, das omoplatas, respiração do lado que foi trabalhado em relação ao outro, sensação das duas metades do rosto.

9. Eis um Preliminar de que muitos de meus alunos gostam. Pode ter efeitos semelhantes aos da máscara de beleza. Só que não é tão caro e é mais durável. Faz-se com a ajuda de uma bola do tamanho de uma laranja. Não muito leve. Aliás, uma laranja serve muito bem.

Deite-se de costas, pernas flexionadas. Os pés não devem ficar nem perto nem longe demais das nádegas para que a cintura possa encostar facilmente no chão. O interior das coxas deve estar descontraído. Braços estendidos ao longo do corpo, palmas das mãos viradas para o chão. A bola fica perto da mão direita. Sem levantar o ombro, nem o cotovelo, nem o antebraço, mas com a ponta dos dedos, faça a bola rolar devagar paralelamente ao corpo, em direção aos pés. Imagine que seu braço é elástico. Deve estar bem apoiado no chão. Lentamente, com a ponta dos dedos, você procura distanciar a bola, sem perdê-la. Depois segure-a na palma e, apoiando-se no cotovelo, erga a mão, com a palma sempre para baixo, e o antebraço. Leve lentamente a bola para o teto sempre sem erguer o ombro e o cotovelo. Você perceberá o momento em que o antebraço vai ficar na vertical. A bola repousa no oco da mão deitada, o polegar voltado para o rosto. Os dedos separam-se. A palma afunda-se: torna-se um ninho para a bola. Tente sentir o contato da bola no *oco* da mão, o peso dela. Os dedos não tocam mais na bola. Cuidado para não bloquear a respiração. O ar continua a circular tranqüilamente pelas narinas.

Devagar, descanse a bola perto do corpo. Estenda as palmas sobre o chão. Os braços. E compare com atenção o contato deles com o chão. Você pode também sentar-se e procurar sentir o que aconteceu com o rosto. Olho, canto da boca, maçã do rosto. Se quiser, controle suas sensações diante do espelho. Mas é melhor acostumar-se a prestar atenção apenas nas sensações. Depois, você poderá fazer o lado esquerdo. Ou então não o faça para sentir melhor a diferença.

10. Este Preliminar pode ajudar a reencontrar o ritmo respiratório natural. Deite-se de costas, pernas flexionadas. Os pés devem estar bem apoiados no chão, na direção dos quadris. Os joelhos um pouco separados. Nenhuma tensão no interior das coxas. Coloque as mãos sobre as costelas dianteiras, um pouco acima da cintura. Tente sentir o movimento das costelas quando respira, em que direção elas se distendem. Pode ser que, no início, você não note quase nenhum movimento.

Agora segure com toda a mão a pele sob a reborda costal de cada costela e puxe essas duas pregas de pele na direção do teto. No momento em que inspira (pelo nariz), imagine que você pode respirar diretamente do interior dessa prega de pele. No momento que expira (pelo nariz), mantenha a pele erguida. Nunca force a inspiração. Seria bom ter a impressão de que sai mais ar do que entra. Faça com calma várias respirações desse jeito. Depois largue.

Agora segure com toda a mão a pele que se encontra em cima das últimas costelas, atrás e um pouco *abaixo* da cintura. Levante as duas pregas de pele respirando com calma, do mesmo modo que anteriormente. Depois largue.

Observe agora o movimento das costelas. O ritmo da respiração. Provavelmente o movimento agora é mais amplo e a respiração menos rápida.

A sra. Ehrenfried recomenda esse movimento especialmente a quem sofre de insônia e a quem sofre do fígado. É também muito proveitoso para a coluna vertebral.

O diafragma, esse grande músculo que "fecha" a caixa torácica, onde está ligado? A gente sabe vagamente. Dos lados e na frente ele se liga ao contorno da face interna das costelas. Mas, atrás, ele está também ligado à coluna: na 2ª, 3ª e, às vezes, na 4ª vértebra lombar. Ora, a cada respiração, enquanto o ar entra e sai dos pulmões, o diafragma desce e sobe no interior do corpo. E esse movimento modifica tudo o que o cerca. Ele deixa os músculos espinais em liberdade, sem fixar-lhes um ponto de contração. Por outro lado, o diafragma está situado, à direita, logo acima do fígado, à esquerda, acima do pâncreas, das vísceras... Seu movimento regular constitui uma verdadeira massagem indispensável a todos esses órgãos.

11. Este é um trabalho difícil de fazer sozinho. Peça a alguém que lhe vá lendo o texto. Deve ser lido bem devagar,

com pausas entre cada frase para dar-lhe tempo de adaptar-se ao que é pedido.

Deitado no chão, de preferência com as pernas esticadas; mas, se você se sentir melhor, pode flexionar os joelhos. Coloque as mãos em concha (os dedos juntos) sobre os olhos. Feche os olhos. Que vê sob as pálpebras? Pontos móveis? Luminosos? Cores? Observe, depois retire as mãos. Continue de olhos fechados. Imagine que eles descem para descansar no fundo das órbitas. Como seixos que se deixam cair no fundo de uma poça. Espere até que os círculos parem. Depois preste atenção na pálpebra direita. Imagine que ela é bem alta e larga. Como uma grande cortina pousada no olho. Preste atenção na fenda do olho. No modo como as duas pálpebras estão colocadas uma sobre a outra. Encostadas? Fechadas? Contorne a borda das duas pálpebras e tente alongar essa fenda do olho, na direção do nariz, na direção da têmpora.

Agora você se detém na sobrancelha direita. Siga-a em pensamento da raiz do nariz até a têmpora. Imagine que você a puxa para a têmpora. Detenha-se na língua que pode aumentar na boca. Os maxilares não estão cerrados. A língua pode até passar entre os dentes. Ocupa toda a cavidade bucal. Preste atenção no contorno do maxilar à direita. Siga-o desde a ponta do queixo até a orelha direita. Preste atenção no interior da face. Tente soltar os músculos do interior da face direita. Preste atenção no lábio superior direito. Do meio do lábio até o canto da boca. No lábio inferior direito. Que você deixa subir até encontrar o lábio superior. Tente sentir o ar circulando na narina direita. Da base do nariz até a sobrancelha direita. Imagine que você pode respirar entre os olhos. Deixe um grande espaço entre as sobrancelhas e respire nesse lugar. Coloque de novo as mãos sobre os olhos. Observe as cores ou movimentos sob as pálpebras fechadas. Compare com as impressões do início. Sente-se e tente ver a diferença. Faça o outro lado. Depois agradeça a quem leu as instruções para você. Observe o tom de sua voz. Você nota alguma diferença?

12. Para este Preliminar é preciso uma bola de espuma do tamanho de uma laranja. Deite-se de costas, pernas flexionadas, atento ao modo como estão encostadas a parte inferior das costas, cintura, omoplatas. Procure sentir onde se acham as articulações de cada lado do sacro, e os dois ossos da bacia (ilíacos). Pode apalpar, explorar com a mão, o contorno dessa região. Depois repouse a bacia e coloque a bola à direita, embaixo da articulação direita. Se você não conseguir encontrá-la, coloque a bola embaixo da parte superior da nádega. Deixe a nádega apoiar-se, com todo o peso, na bola. Deixe também a nádega esquerda apoiar-se no chão. Faça o possível para que a cintura se aproxime do chão. Talvez o contato com a bola seja doloroso. Tente relaxar, não procure defender-se. Depois, com cuidado, levante o joelho direito sobre o peito. Arrume a bola, se for preciso. Depois coloque a mão sobre esse joelho e puxe-o um pouco para você, com pequenos movimentos, sem contrair os ombros. Com cuidado, estique então a perna esquerda e continue a puxar o joelho direito para você, prestando atenção ao que acontece no interior das coxas. Procure ver como elas se comportam entre elas nesse ligeiro movimento. Com a mão direita faça o joelho direito executar pequenos círculos bem redondos. Preste atenção aos círculos que você sente serem executados com a região da bacia encostada na bola. Mude de direção. Faça ainda alguns círculos. Depois flexione a perna esquerda e, suavemente, coloque o pé direito no chão. Retire a bola e imediatamente perceberá uma diferença na bacia. Agora vire de lado para sentar-se. Depois levante devagar e passeie um pouco pela sala. Preste atenção no modo (diferente?) como sente os pés pisarem, no modo como a perna di-

reita sai do quadril, na abertura da dobra da virilha, no ombro direito, na parte direita do rosto.

13. Talvez você se lembre das bonequinhas de cartolina da sua infância. De um lado, a frente; do outro, as costas. A junção era feita por uma dobradura no alto da cabeça. Imagine em você essa linha passando pelo alto do crânio, prolongando-se até as orelhas. Siga essa linha com os dedos. Depois procure erguer a pele do crânio obedecendo a essa fronteira. Pegue a pele entre os dedos. Ela deve descolar-se do crânio. Puxe um pouco os cabelos se a pele lhe parecer mesmo colada. Tente puxar para a frente na direção do rosto. Em todo o contorno. Como se você quisesse puxar a pele para a frente, para as maçãs do rosto, têmporas, testa. Procure aumentar o volume da nuca, aproximando o queixo do peito. Um movimento parecido com o do cavalo que estira a nuca ao abaixar o focinho. Imagine que você quer assim trazer para a frente toda a pele do crânio e da nuca.

14. Segure, suavemente, entre o polegar e o indicador, a pele que se acha entre a base do nariz e o lábio superior. Puxe, sem forçar, para baixo. Maxilar solto. Língua alargada na boca.

15. Você pode, com o polegar e o indicador, fazer o contorno das orelhas, segundo uma antiga ginástica chinesa. Com os dedos explore o pavilhão da orelha. Do lado de dentro, do lado de fora. Desde o ponto em que está ligada à cabeça até os lobos. O próprio lobo. Do lado de dentro, do lado de fora. Siga a antélice, que divide o pavilhão e a concha (sobre a qual se projeta a coluna vertebral). Desde o antítrago acima do lobo

(onde estão representadas as vértebras cervicais) até o alto, sob a dobra do bordo do pavilhão (onde se projetam o sacro e o cóccix). Depois explore com suavidade a concha da orelha. Do lado de dentro e do lado de fora. Termine fazendo bem devagar uma massagem em toda a superfície da orelha.

Bibliografia

BARTHES, R. *Roland Barthes par lui-même*. Paris, Éditions du Seuil, 1975.
- *Roland Barthes por Roland Barthes*. São Paulo, Cultrix, 1977.

BELOTTI, E. G. *Du côté des petites filles*. Paris, Éditions des Femmes, 1974.

BORSARELLO, J. *Le massage dans la médecine chinoise*. Paris, Maisonneuve, 1971.

COLETTE. *Les vrilles de la vigne*. Paris, Ferenczi (1930) e Hachette, col. "Le livre de poche".

DAVIS, F. *Inside Intuition*. Nova York, McGraw-Hill, 1971.

EHRENFRIED, L. *De l'éducation du corps à l'équilibre de l'esprit*. Paris, Aubier Montaigne, 1967.

FELDENKRAIS, M. *La conscience du corps*. Paris, Robert Laffont, 1971.

FREUD, S. *Cinq psychanalyses*. Paris, PUF, 1954.
- *Cinco lições de psicanálise/Contribuições à psicologia do amor*. Rio de Janeiro, Imago, 1973.

GEER, G. *La femme eunuque*. Paris, Robert Laffont, 1971.
- *A mulher eunuco*. Rio de Janeiro, Artenova, 1975.

GRODDECK, G. *Le livre du ça*. Paris, Gallimard, 1973.

ILLICH, I. *Libérer l'avenir*. Paris, Éditions du Seuil, 1971.
- *Celebração da consciência*. 2ª ed., Petrópolis, Vozes, 1976.

INGHAM, E. *Stories the Feet Can Tell*. Nova York, 1938.

JANOV, A. *Le cri primal*. Paris, Flammarion, 1975.
- *O grito primal*. Rio de Janeiro, Artenova, 1975.

KAFKA, F. *La colonie pénitentiaire*. Paris, Gallimard, 1945.
- *Metamorfose. O artista da fome. Na colônia penal*. Rio de Janeiro, Civilização Brasileira, 1972.

LAING, R. D. *Soi et les autres*. Gallimard, 1971, pp. 130-1.
- *O eu e os outros*. Petrópolis, Vozes, 1972.

LAVIER, J. *Histoire, doctrine et pratique de l'acupuncture chinoise*. Paris, Tchou, 1966.

LOWEN, A. *The Betrayal of the Body*. Nova York, Macmillan, 1967.
——. *The Language of the Body*. Nova York, Colier, 1974.
MÉZIÈRES, F. "Importance de la statique cervicale", *Cahiers de la méthode naturelle*, n? 51, 1972.
——. "Méthodes orthopédiques" e "La fonction du sympatique", *Cahiers de la méthode naturelle*, n? 52/53, 1973.
——. "Les pieds plats", *Cahiers de la méthode naturelle*, n? 49, 1972.
——. "Le réflexe antalgique *a priori*", *Cahiers de la méthode naturelle*, n? 44, 1970.
MICHEL-WOLFROMM, H. *Cette chose-là*. Paris, Grasset, 1970.
REICH, W. *L'analyse caractérielle*. Paris, Payot, 1971. (Trad. bras. *Análise do caráter*, São Paulo, Martins Fontes, 1989.)
——. *La fonction de l'orgasme*. Paris, L'Arche, 1973.
• *A função do orgasmo*. São Paulo, Brasiliense, 1975.
——. *La révolution sexuelle*. Paris, Plon, 1968.
• *A revolução sexual*. 3ª ed., Rio de Janeiro, Zahar, 1977.
SAPIR, M. *La relaxation: son approche psychanalytique*. Paris, Dunod, 1975.
SCHILDER, P. *L'image du corps*. Paris, Gallimard, 1968.
SCHULTZ, J. H. *Le training autogène*. Paris, PUF, 1974.
• *O treinamento autógeno*. São Paulo, Mestre Jou, 1967.